세비야의 이발사

세비야의 이발사

초판 1쇄 발행 2020년 8월 25일

지은이 피에르-오귀스탱 카롱 드 보마르셰 | 옮긴이 이선화 | 펴낸이 조기조
펴낸곳 도서출판 b | 등록 2006년 7월 3일 제2006-000054호
주소 08772 서울특별시 관악구 난곡로 288 남진빌딩 302호
전화 02-6293-7070(대) | 팩시밀리 02-6293-8080
홈페이지 b-book.co.kr / 이메일 bbooks@naver.com

ISBN 979-11-89898-31-1 03860
값 13,000원

세비야의 이발사

피에르-오귀스탱 카롱 드 보마르셰 지음

이선화 옮김

도서출판 b

| 일러두기 |

1. 이 책은 번역의 저본으로 Beaumarchais, *Le Barbier de Séville ou la Précaution inutile*, Edition de François Bagot et Michel Kail, «Folio Théatre», Gallimard, 1996을 사용했다.
2. 아무 표기가 없는 각주는 편집자 프랑수와 바고와 미셸 켈의 주이고, 번역이나 설명이 필요한 경우에는 [역주]로 표기했다.

| 차 례 |

세비야의 이발사 혹은 부질없는 경계

등장인물 ········· 9

등장인물의 의상 ········· 10

제1막 ········· 13

제2막 ········· 43

제3막 ········· 85

제4막 ········· 121

작가 및 작품 해설 ········· 145

작가 연보 ········· 181

4막의 산문 희극

세비야의 이발사 혹은 부질없는 경계

LE BARBIER DE SÉVILLE OU LA PRÉCAUTION INUTILE

등장인물

알마비바 백작 스페인의 대귀족, 로진의 연인

바르톨로 의사, 로진의 후견인

로진 귀족가문 출신의 젊은 여성, 바르톨로의 피후견인

동 바질 오르간 연주자, 로진의 노래 선생

라죄네스 바르톨로의 늙은 하인

레베이예 바르톨로의 또 다른 시종, 우둔하고 잠에 취해 있는 소년

공증인

법관 법조인

여러 명의 경관들과 횃불을 들고 있는 하인들

등장인물의 의상[1]

배우들은 옛 스페인의 의상을 입어야 한다.

알마비바 백작 스페인의 대귀족이자, 신분을 감추고 있는 로진의 연인으로 1막에서는 비단으로 된 겉저고리와 반바지를 입고 나온다. 그는 큼지막한 갈색 외투 혹은 스페인 스타일의 망토를 두르고 있으며, 색깔 있는 리본이 달려 있고, 가장자리가 말려 올라간 검은색 챙모자를 쓰고 있다. 2막에서는 반장화를 신고 콧수염에 기병 복장을 하고 등장한다. 3막에서는 법학도의 옷차림을 하고 있는데, 앞머리를 가지런히 하고, 목주위에 주름장식 깃이

• •

1_ 보마르셰는 등장인물들의 의상 선택과 동선, 제스처에 상당히 공을 들였다. 18세기에 극장의 물질적 여건들이 좋아지면서 연출에도 상당한 발전이 이루어졌다. 하지만 아직까지 연출가라는 직종은 등장하지 않았고, 극단과 함께 공연을 만들어간 것은 작가였다. 이러한 움직임은 디드로가 자신의 희곡 『집안의 가장*Le Père de famille*』(1758)과 『사생아*Le Fils naturel*』(1757)에서 상당수의 무대지시를 삽입하면서부터 시작되었다.

있는 의상을 입고 있다. 4막에서는 화려한 스페인 스타일의 겉저고리를 근사하게 차려 입고, 그 위로 커다란 갈색 망토를 두르고 있다.

바르톨로 의사이자 로진의 후견인. 검은색의 짧고, 단추달린 의상을 입고 있다. 풍성한 가발을 쓰고, 목주름 장식을 하고, 소매장식은 걷어 올리고, 검은색 허리띠를 차고 있다. 외출할 때는 진홍색의 외투를 입는다.

로진 귀족가문 출신의 젊은 여성으로 바르톨로의 피후견인. 스페인 스타일의 의상을 입고 있다.

피가로 세비야의 이발사. 스페인 멋쟁이의 의상.[2] 머리는 머리그물 혹은 망으로 옭아매고, 색깔 있는 리본이 달린 흰색 모자를 쓰고 있다. 목에는 비단 스카프를 여유 있게 두르고 있다. 단추 구멍에는 은색의 술장식이 달려 있고, 단추가 달려 있는 비단 조끼와 짧은 바지를 입고, 비단 허리띠를 하고 있다. 양 다리에는 장식끈으로 묶여 있는 스타킹 고정 밴드를 하고 있다. 조끼 색깔과 대비되는 선명한 색깔의 저고리에, 하얀색 스타킹을 신고, 회색 구두를 신고 있다.

• •

2_ 당대 스페인 비평가에 따르면, 이 의상은 그 시대 스페인 백작이 입는 의상과는 다르고, 다른 시대의 의상으로 보이는데, 이러한 편차를 통해 작가는 오히려 스페인 전통을 강조하려 했던 것으로 보인다.

동 바질 오르간 연주자이자 로진의 노래 선생. 끝이 접힌 모자를 쓰고 있고, 목주름장식도 소매장식도 없는 긴 프록코트를 입고 있다.

라죄네스 바르톨로의 늙은 하인.

레베이예 바르톨로의 또 다른 하인으로 약간 멍청하고 잠에 취해 있는 소년.

두 명 모두 갈리시아 지방의 농부 차림이다. 머리는 모두 뒤로 땋아 늘어뜨리고, 셈 가죽(무두질한 양 혹은 염소의 안쪽 가죽) 색깔의 조끼를 입고, 버클 달린 커다란 가죽 허리띠를 허리에 두르고 있다. 파란색 반바지에, 같은 색 저고리를 입고 있는데, 저고리의 소매는 팔이 통과할 수 있게 어깨 부분이 열려 있고, 뒤편으로 늘어져 있다.

공증인

법관 법조인, 손에 길쭉한 흰색 의사봉을 들고 있다.

여러 명의 경관들과 횃불을 들고 있는 하인들

1막의 무대는 세비야에 있는 로진의 방 창문 아래 거리를, 이후는 바르톨로 박사의 집 실내를 보여준다.

제 1 막

무대는 세비야의 거리를 보여준다. 건물의 유리창들은 모두 창살로 막혀 있다.

1장

백작 (큼지막한 갈색 외투에, 테두리가 접힌 모자를 쓰고 있다. 그는 혼자서 서성이며 시계를 꺼내 본다.) 해가 좀처럼 움직일 생각을 않네. 덧창 뒤로 그녀의 모습을 보려면 한참을 기다려야겠는 걸. 뭐 아무렴 어때. 여차해서 그녀를 볼 순간을 놓치느니 차라리 일찍 도착해 있는 게 낫지. 궁정 사람 누구든 마드리드에서 이역만리나 떨어진 이곳에서 나를 보기라도 해봐, 말도 섞어본 적 없는 여인네 집 창문 아래서 매일 아침 이러고 있는 나를 보면 뭐라겠느냐 말이야, 이사벨라 시대의 구닥다리 스페인 놈이라고 하지 않겠어.[3] 안 될 건 또 뭐야? 누구에게나 행복추구권은 있는 법인데. 나한테 행복은 로진의 마음을 꿰차는 거라구. 그래도 여자 꽁무니를 쫓아 세비야까지 온 건 좀. 마드리드와 궁정에도 이런 류의 가벼운 유희는 지천에 널려 있는데. 이래봬도 난 심지어 그걸 피해 다닌 사람인데

• •

3_ 이사벨라 시대는 15세기 후반(1451–1504), 크리스토퍼 콜럼버스의 후원자이기도 했던 이사벨라 여왕의 통치시기를 일컫는다. 또한 이사벨라라는 이름은 랭도르라는 이름과 마찬가지로 이탈리아 희극 혹은 퍼레이드 장르에 등장하는 젊은 연인 역의 이름이기도 하다. 여기서 보마르셰는 단번에 이름을 통해 텍스트 속에 연극적 전통과 함께 아이러니한 거리를 제시한다.

말이야. 관심에서건 예의상이건 허세 때문이건 여자 꽁무니를 쫓는 일이라면 신물이 났으니까. 내 모습 그대로 사랑받는 것보다 기분 좋은 일이 있을까. 이리 변장했으니 안심해도 되려나…. 저런, 저 사기꾼 녀석이 웬 일이람!

2장

피가로, 백작(숨어 있다.)

피가로 (커다란 리본이 달린 띠로 등 뒤에 기타를 둘러매고는, 손에 종이와 연필을 쥐고 즐겁게 흥얼거린다.)

슬픔을 날려버리자
슬픔이 우리를 소진시키니
우리를 따뜻하게 데워주고
우리 괴로움을 덜어주는
맛좋은 포도주의 불꽃이 없다면
인간은 즐거움도 모르고
바보처럼 살다가
곧 죽게 되리니.

여기까지는 나쁘지 않아, 그렇지!

… 그리고 곧 죽게 되리니.
포도주와 게으름이
내 마음을 두고 서로 다투고 있네…

아니, 아닌데! 포도주와 나른함은 서로 다투는 게 아니라, 조용히 함께 내 마음 속에 머무는 건데….

내 마음을 함께 나누는데

함께 나눈다고 할까? … 하긴, 오페라 제작자들이 그렇게 시시콜콜 따져볼 리 없지. 요즘은 말할 필요가 없는 건 노래로 처리하니까.

(그는 노래를 부른다.)

포도주와 게으름이
내 마음을 함께 나누는데

근사하면서도 솔깃하고, 재치가 번득이면서 좀 생각이

있어 보이는 것으로 마무리를 하고 싶은데.

(그는 바닥에 무릎을 대고, 노래를 부르며 글을 쓴다.)

내 마음을 함께 나누는데.
만약 하나가 내 나성함을 가지고 있다면…
다른 하나가 내 행복을 만들어 주리니.

젠장! 너무 진부한데! 이건 아니야…. 대립구가 필요해, 대조법이.

하나가… 내 주인이라면,
다른 하나는…

아무렴! 그래 이거지! …

다른 하나는 종복이라네.

잘했어, 피가로!

(그는 노래를 부르며 써내려간다.)

포도주와 게으름이

내 마음을 함께 나누는데
하나가 내 주인이라면,
다른 하나는 내 종복이라네
다른 하나는 내 종복이라네,
다른 하나는 내 종복이라네.

여기에 반주를 붙이면, 패거리양반들, 내가 무슨 말을 하려는지 알게 될 거요. (그는 백작을 알아본다.) 어라, 이 신부님은 어디선가 본 적이 있지 싶은데.

(그는 다시 일어선다.)

백작 (방백으로) 이자는 낯설지가 않은데!

피가로 아니구먼, 신부님이 아니네! 이 도도하면서도 고상한 생김새는….

백작 요상한 꼬락서니하며.

피가로 제 생각이 틀리지 않는다면, 알마비바 백작님.

백작 내 생각에는 심술보 피가로.

피가로 바로 나리시군요.

백작 불한당 같은 놈! 한 마디만 더 해 보거라….

피가로 맞군요. 나리를 알아보고 말굽쇼. 나리께선 늘 제게 영광되게도 친절한 호의를 베풀어주셨는뎁쇼.

백작 근데, 난 너를 못 알아 봤구나. 살집도 오르고 피둥피둥해

져서 말이야!

피가로 왜 아니겠습니까, 나리. 저도 고민입니다.

백작 한심한 녀석! 그런데 세비야에는 어쩐 일이냐? 일전에 내가 일자리를 주선해준 걸로 아는데.

피가로 그 일자리를 따냈습죠, 나리. 감사드립니다….

백작 랭도르라고 부르거라.[4] 이 차림새를 보고도 내가 다른 사람으로 변장한 줄 모르겠느냐?

피가로 그럼 물러갈깝쇼?

백작 그럴 것까진 없고. 여기서 누굴 좀 기다리고 있는데. 혼자서 어슬렁거리는 것보다는 사내 둘이 담소를 나누고 있는 게 덜 수상쩍어 보일 것 같구나. 수다를 떠는 척하자고. 그런데 그 일자리는?

피가로 나리가 써주신 추천장을 보시고는 장관님께서 저를 그 자리에서 보조 약제사로[5] 채용해주셨지요.

백작 군인병원에 있는 건가?

피가로 아뇨, 안달루시아의 종마 사육장에 있습니다.

백작 (웃으며) 첫출발 치곤 나쁘지 않군!

• •

4_ 랭도르라는 이름은 이탈리아 희극 전통에서 젊은 연인 역의 이름으로 보마르셰는 이름을 통해 여기서 연극적 환상 효과를 강조한다.

5_ 『피가로의 결혼』의 5막 3장의 피가로의 긴 독백에서도 확인해볼 수 있는 부분이다.

피가로 직책도 나쁘지 않았습죠. 붕대와 약재 류를 담당하면서 말들한테 직방이다 싶으면 사람들한테도 팔기도 했고요.

백작 왕의 신하들을 저승으로 보냈다고 하는 그 약 말이냐!

피가로 만병통치약이란 게 어디 있겠습니까. 그래도 그 약재들이 카탈루니아 사람들과 오베르뉴 사람들, 갈리시아 사람들한테는 직방으로 효과가 있었습죠.

백작 그런데 그 자리를 왜 박차고 나온 게냐?

피가로 박차고 나오다니요? 그분이 저를 내치셨는데요. 어떤 빌어먹을 놈이 저를 당국에 고발했지 뭡니까. '희멀건 낯짝에 갈고리 손가락을 한 욕망덩어리'[6]라고 말입니다.

백작 그렇더라도 마음보를 그리 좁쌀같이 쓰면 되나! 그래서 시를 짓게 되셨다? 새벽 댓바람부터 흥얼거리며 무릎 위에다가 뭔가 끄적거리는 것 같던데.

피가로 제 불행의 씨앗이 바로 그겁니다요, 나리. 어느 놈인지 장관님께 제가 알랑대는 시구나 끄적거리고, 신문사에 수수께끼를 보내고, 달달한 서정시를 멋대로 갈겨대고 있다고 일러바치는 바람에, 한 마디로 말해서, 장관님께서 제가 문학에 흠뻑 빠져 있다는 걸 아시고는, 사태를

6_ 볼테르의 시구의 패러디. 보마르셰는 볼테르 전집의 발행인이기도 했다.

비극으로 만드셨지 뭡니까. 문학에 대한 열정과 직업 정신은 양립될 수 없다시며 제 일자리를 거둬 가신 거지요.

백작 거 참 대단히 사려 깊은 조처로군. 항의는 안 해봤고?

….

피가로 거기서 잊히는 게 차라리 다행이겠다 싶더라고요. 지체 높으신 양반께서 우리를 해코지하지 않는 것만으로도 선처해주시는 거라 생각하면서요.

백작 그게 다는 아닐 텐데. 내 기억엔, 내 밑에 있을 때도 네놈은 뭐 그리 썩 훌륭한 하인은 아니었지 싶은데.

피가로 그럴 리가요, 나리, 가난한 놈한테도 결점은 있는 거 아닙니까.

백작 게을러빠진데다가 정신머리 없고….

피가로 주인님, 아랫것들한테 나리들이 갖춰야 할 덕목을 요구하시다니요. 그럼 종복한테 필요한 자질을 갖춘 주인님네들도 있어야 하겠네요.

백작 (웃으며) 어쭈 제법인데. 그래서 그 도시를 떠난 게냐?

피가로 아뇨, 곧바로 떠나진 않았고요.

백작 (그의 말을 가로막으며) 잠시만 … 그 아가씨인 것 같은데 …. 계속해 보거라, 네 말은 내가 곧잘 들어주지 않더냐.

피가로 마드리드로 돌아갔습죠. 제 문학적 재능을 다시 한

번 시험해보고 싶기도 하고, 연극이야말로 최고로 영예로운 장르처럼 보이기도 했고요.

백작 아이고 맙소사!

피가로 (그가 대사를 하는 동안, 백작은 주의 깊게 덧창 쪽을 살핀다.) 터놓고 말해서, 왜 그렇게 참패로 끝났는지 저도 오리무중입니다. 1층석은 열광적인 일꾼들로 꽉 들어찼었거든요, 손길로… 손뼉으로 우레와 같은 박수갈채를 보내주었죠. 제가 지팡이와 장갑 사용은 금지시켰거든요. 둔탁한 소리를 내는 건 모조리요. 그리고 공연 시작 전에 문 여는 카페도[7] 저한테는 절호의 기회로 보였고요. 그런데 훼방꾼들이 농간을 부리는 바람에….

백작 아! 훼방꾼들이라! 그래서 작가 선생이 무너진 거로군!

피가로 다른 사람들이나 매 한가지죠. 왜 아니겠어요? 그자들이 저한테 어찌나 야유를 퍼부어대든지. 그들을 어떻게든 다시 불러 모을 수만 있어도.

백작 원통해서 앙갚음이라도 하려고?

피가로 젠장, 제가 얼마나 그들을 원망했게요.

7_ 토론과 비평의 장소. 특히 옛 코메디 프랑세즈 극장 옆에 있었던 카페 <르 프로코프Le Procope>를 가리키는 것으로 보인다.

피가로 역을 맡은 배우 다쟁쿠르(Dazincourt)의 초상(1786).

백작 법정의 판사들한테 이의를 제기하려면 24시간 안에 해야 한다는 걸 알고 있나?

피가로 연극에서는 24년이 지나도 가능하죠. 하지만 인생이 얼마나 짧은데, 그깟 원한으로 인생을 허비하다니요.

백작 분노도 유쾌하게 날리는 걸 보니 내 기분이 다 좋아지는구나. 그래도 그것 때문에 마드리드를 떠난 건 아니겠지.

피가로 나리는 저의 수호천사이십니다. 옛 주인님을 다시 뵙게 되어 얼마나 반가운지 모르겠습니다. 마드리드의 문인들은 늑대나 다름없더라고요. 서로를 물어뜯고, 깔보고, 한심스런 경쟁에 죽자 사자 덤벼들고, 온갖 종류의 버러지, 모기, 날파리 같은 인간들하며, 비평가, 검열관, 시샘꾼, 기자, 출판업자, 검열관 할 것 없이 모두가 일제히 불쌍한 글쟁이들한테 들러붙어서는 깎아내리고, 글쟁이들한테 남아 있는 몇 푼마저 꿀꺽하려 들고요. 글 쓰는 데 지치고, 저 자신한테도 지겨워지고, 남들한테도 싫증나고, 빚더미에 올라앉았기도 했고요. 결국에 펜대 놀려서 얻는 알량한 체면보다는 면도날로 벌어들이는 수입이 더 짭짤한 것 같아 미련 없이 마드리드를 떠났습죠. 가방을 둘러매고, 카스티유 두 지방을 거쳐서 라만차, 에스트라마두레, 시에라-모레나, 안달루시아를 도인처럼 정처 없이 떠돌아다녔죠. 어떤 곳에서는 환대를 받고, 또 어떤 곳에서는 철창신세를 지기도 했고요. 사방에 사건사고를 몰고 다녔더랬죠. 이 사람한테는 찬사를 듣고, 저 사람한테는 욕지거리를 얻어먹고요. 때맞춰서 도와주기도 하고, 나쁜 일들은 꿋꿋이 견디고, 얼간이들은 비웃어주고, 돼먹지 못한 놈들한테는 본때를 보여주기도 하고, 제 비참함을 껄껄 웃어넘기기도 하고, 이 사람 저 사람 수염을 손질해주기도 하고요. 보시다시피 이곳 세비야에 떡하니 자리를 잡았으니, 이제 나리께서 내리시는 분부는 모조리 받아 모실 수 있습죠.

백작 누가 그렇게 너한테 호방한 철학을 가르쳐주더냐?

피가로 잊을 만하면 어김없이 찾아오는 불행이지요. 눈물로 징징대는 게 싫어서 매사를 서둘러 웃어넘겨 버릇했더니. 그런데 이쪽에 뭘 보고 계신 건가요?

백작 몸을 숨겨야겠다.

피가로 왜 그러시는데요?

백작 잔말 말고 이리 오너라, 산통 깨지 말고.

(그들은 몸을 숨긴다.)

3장

바르톨로, 로진 (2층 덧창이 열리고, 바르톨로와 로진은 창가에 서 있다.)

로진 바깥 공기를 마시니 기분이 좋아지네요! 그동안 너무 오래 덧창을 닫아 두었나 봐요….

바르톨로 손에 들고 있는 그 종이쪼가리는 뭐요?

로진 어제 노래 선생님이 주신 <부질없는 경계>[8]라는 노래집이에요.

바르톨로 <부질없는 경계>가 뭐요?

로진 새로 나온 연극이에요.

바르톨로 또 그 망할 놈의 드라만가 뭔가 보군! 쓰잘머리 없는 장르야![9]

로진 거기까진 모르겠고요.

바르톨로 신문이나 당국에서 설명을 해주겠지. 교양머리 없는 시대야! ….

로진 당신은 늘 우리 시대를 깎아내리지 못해 안달이군요.

바르톨로 예의 없이 굴어 미안하오. 이 시대에 칭찬해줄 만한 게 어디 있어야 말이지? 죄다 한심한 것들뿐이니. 사상의 자유니, 중력이니, 전기, 관용, 접종, 기나피 포도주, 백과 전서, 드라마니 뭐니 ….

로진 (로진은 종이를 길가 쪽으로 떨어뜨린다.) 아! 내 노래! 당신 얘기를 듣다가 그만 내 노래를 떨어뜨렸잖아요. 어서 가보세요. 어서 뛰어가시라고요. 자칫하면 잃어버리겠어요.

바르톨로 빌어먹을! 제대로 쥐고 있을 것이지.

• •

8_ 이 극의 부제이자, 이 작품 속에 삽입된 극중극의 제목이다.

9_ 바르톨로는 18세기에 새롭게 등장한 신기술이나 신문물, 새로운 사상 등을 못마땅해 하는 구시대의 사람으로 보인다.

(그는 발코니를 떠난다.)

로진 (안쪽을 바라보고, 거리 쪽으로 신호를 보낸다.) 쯔쯔 (백작이 모습을 드러낸다.) 얼른 주워서 도망가세요.

(백작은 잽싸게 뛰어가서 종이를 주워 돌아온다.)

바르톨로 (집에서 나와 이리저리 두리번거린다.) 어디에 있는 거야? 안 보이는데.

로진 발코니 밑 담장 아래에요.

바르톨로 심부름 한번 참 우아하게 시키는구려! 누가 지나갔소?

로진 아무도 못 봤는데요.

바르톨로 (자기 자신에게) 군말 없이 찾겠다고 내려오다니, 바르톨로, 이 멍텅구리야. 이제 길가 쪽 덧창은 열면 안 된다는 걸 확실히 깨쳤겠지.

(그는 들어온다.)

로진 (여전히 발코니에서) 내 처지가 오죽이나 불행하면 내가 이렇게까지 하겠어. 가증스런 남자의 핍박 아래 홀로 꼼짝없이 갇혀 있는데, 이런 노예상황에서 벗어나려는 게 무슨 죄가 되겠어?

바르톨로 (발코니에 모습을 드러내며) 들어오시지요, 시뇨라. 당신이 노래집을 잃어버린 건 내 탓이요. 하지만 맹세컨대 두 번 다시 이런 불상사는 없을 거요.

(그는 열쇠로 덧창을 잠근다.)

4장

백작, 피가로 (그들은 조심스럽게 들어온다.)

백작 저들이 들어간 것 같으니, 노래를 좀 살펴볼까, 틀림없이 비밀이 여기에 숨겨져 있을 거야. 쪽지가 있군!

피가로 영감이 <부질없는 경계>가 뭐냐고 묻던데요.

백작 (활기차게 읽는다.) "당신이 그리 열정을 보여주시니, 저도 호기심이 생기는군요. 제 후견인이 나가면, 이 곡조들 가운데 아무거나 불러주세요. 곡조에다가 가엾은 로진에게 줄곧 관심을 두시는 분의 이름과 신분 그리고 의도를 담아서요."

피가로 (로진의 목소리를 흉내 내며) 내 노래, 내 노래를 떨어뜨렸잖아요. 어서 가보세요, 어서 뛰어가시라고요. (그는 웃는다.) 하하하하! 하여간 여자들이란! 순진한 아가씨에게 실력 발휘라도 해보시려고요? 아껴두심이 어떠실는지.

백작 사랑하는 로진!

피가로 나리, 나리께서 변장한 이유에 대해 염려할 필요가 없겠습니다. 앞으로 이곳에서 사랑을 꽃피워보겠다, 이

거로군요.

백작 이제야 눈치 챘느냐. 하지만 네가 입을 나불대면….

피가로 제가 입을 나불댄다고요. 나리를 안심시킬 요량으로, 툭하면 입에 담는 명예니 헌신이니 하는 거창한 표현을 들이댈 생각은 없습니다. 제게 중요한 건 단 하나, 쩐이지요. 쩐이 저에 대한 모든 걸 주인님께 답해줄 겁니다. 만사에 그 잣대를 사용하시면 됩니다.

백작 좋다! 그럼 말해주지. 6개월 전 우연히 프라도 산책로[10]에서 묘령의 아리따운 아가씨를 만났더랬다. 네가 방금 본 여인이 그 아가씨다! 그녀를 찾아 마드리드 전체를 이 잡듯 뒤졌지만 헛수고였지. 그러던 차에 며칠 전 그 아가씨 이름이 로진이고, 명망 있는 가문 출신인데, 고아이고 이 도시의 이름 있는 의사인 바르톨로라는 늙은이와 결혼했다는 사실을 알게 됐다.

피가로 저런, 어여쁜 새로군요! 새장에서 꺼내기가 쉽지 않겠는뎁쇼! 그런데 아가씨가 의사의 아내라고 누가 그러던가요?

백작 다들 그러던걸.

피가로 그건 의사가 마드리드에서 오면서 구애자들을 따돌리

• •

10_ 마드리드의 유명한 산책로.

기 위해 꾸며낸 이야기고요. 그자는 아직까진 아가씨의 후견인일 뿐이죠. 하지만… 조만간에….

백작 (화색이 돌며) 그럴 순 없지, 낭보가 아닐 수 없구나! 무슨 수를 써서라도 아가씨에게 내 간절한 마음을 전할 참이었는데, 이제 아가씨가 자유롭다는 걸 알았으니! 허비할 시간이 없어, 나를 사랑하게 만들어서 가혹한 운명의 그 돼먹지 않은 약혼에서 그녀를 구해내야겠다. 그 후견인이란 사람을 아느냐?

피가로 알다 뿐이겠습니까, 저의 어머니만큼은 알지요.

백작 어떤 작자더냐?

피가로 (활기를 띠고) 뚱뚱하고, 짜리몽땅하고, 나이에 비해 좀 젊어 보이는 노인네라고나 할까요, 음흉한데다 교활하기 짝이 없고, 수염도 없는 무정한 인간이지요. 훔쳐보고, 꼬치꼬치 캐내고, 으르렁거리면서 구시렁대는 인물이지요.

백작 (초조해져서) 그 작자를 본 적은 있고. 성격은?

피가로 사납고, 구두쇠에다가, 자신이 후견하는 처녀를 말도 못하게 애지중지하고 질투심이 장난 아닙죠. 아가씨는 그자를 끔찍하게 싫어하고요.

백작 그러면 그자의 마음에 들려면….

피가로 그런 방법은 없다고 봐야죠.

백작　차라리 잘됐구나. 정직하기는 하고?

피가로　뭐 교수형 당하지 않을 정도 되려나요.

백작　일석이조군. 내 행복도 챙기면서 사기꾼을 응징할 수 있으니 말이다….

피가로　공공의 선을 행하면서 동시에 개인적인 선을 행한다는 말씀이군요. 도덕률의 최고봉이지요, 나리.

백작　구애자들이 무서워서 문을 닫아건 거라고 했던가?

피가로　누구한테든 꽉꽉 닫아걸었습죠. 할 수만 있다면 문틈까지도 틀어막을 태세인걸요….

백작　저런! 어쩐다. 네가 그자 집에 접근할 방법이 있겠느냐?

피가로　있구말굽쇼! 제가 바로 그 의사 집에 붙어살고 있지 않습니까. 거의 공짜로 묵고 있습죠.

백작　옳거니!

피가로　그렇습니다. 집세로 일 년에 금화 10피스톨을 치르니까요.

백작　(초조해져서) 그럼 네가 하숙생이란 말이냐?

피가로　그 이상입죠, 이발사 겸 외과의사, 약제사라고나 할까요. 그자는 면도칼이니, 침이니, 주사기니 뭐니 한번 쓰지 않는다니까요. 다 제 손에서 나가는 거지요.

백작　(그를 끌어안으며) 아! 피가로, 내 친구, 너는 내 천사이자 구원자이고, 수호신이다.

피가로 와우! 쓸모가 있으니 나리와 저 사이의 거리도 순식간에 좁혀지는뎁쇼. 사랑에 빠진 연인들 얘기 좀 해주시지요.

백작 피가로, 너 운수대통인줄 알아라! 나의 로진을 보는 영광을 누릴 테니 말이다! 실물을 본다, 이 말이다! 네 놈이 얼마나 운 좋은 녀석인지 알고 있느냐?

피가로 이거야말로 사랑에 홀딱 빠진 남자의 대사인뎁쇼! 설마 저까지 그분을 연모해야 되는 건 아니겠죠? 제 몫은 나리께서 대신하시죠!

백작 아! 감시꾼들을 몽땅 떼어낼 수만 있다면 좋을 텐데!

피가로 그게 바로 제가 생각하던 바입죠.

백작 더도 말고 딱 12시간이면 되는데.

피가로 그자들을 자기 잇속 차리는 데 정신 팔리게 하면, 남의 일에 쓸데없이 참견하는 일은 없지 않을까요.

백작 당연히 그렇겠지. 그래서?

피가로 (생각에 잠겨) 무해하면서도 신통한 약재가 없을까 머리를 굴려보고 있는 중입니다.

백작 모사꾼이 따로 없구나!

피가로 전 누구에게든 해를 끼치고 싶은 마음은 추호도 없습니다요. 다들 제 소임을 필요로 하니까요. 문제는 어떻게 한꺼번에 처리하느냐는 거지요.

백작 그러면 의사가 의심을 품을 수도 있지 않을까.

피가로 의심을 품기 전에 후딱 해치워야죠. 좋은 수가 떠올랐어요. 왕실 연대가 이 도시에 도착할 거라 들었습니다.

백작 거기 연대장이 내 친군데.

피가로 금상첨화네요. 숙박허가증을 가지고 기병 차림으로 방문하시는 겁니다. 의사는 숙박을 허락하지 않을 수 없을 겁니다. 그럼 나머지는 제가 처리하겠습니다.

백작 좋았어!

피가로 나리께서 거나하게 취한 척하셔도 나쁘지 않을 것 같은데요.

백작 왜 그래야 하지?

피가로 어리바리한 모습으로 약간은 경박스럽게 꾸며보자는 거지요.

백작 왜 그래야 하냐고?

피가로 아무 낌새도 눈치 못 채게 하기 위해서죠. 음모꾼이 아니라 자기 집에 유숙을 청하는 사람으로 보이게 하기 위해서이기도 하고요.

백작 기발한 생각이야! 그런데 너는 거기에 같이 안 갈 테냐?

피가로 아! 저도 물론 가야죠! 운 좋으면 의사가 나리를 알아보지 못할 수도 있겠는데요! 하긴 그자가 나리를 본 적이 없으니 알아볼 리 없긴 하겠네요. 그건 그렇고, 나리가 그 집에 어떻게 비집고 들어가는 게 좋을까요?

백작 네 말이 맞다.

피가로 나리께서 연기하시기엔 좀 까다로운 인물인가요. 주정뱅이 기병이라 ….

백작 날 무시하는 게냐! (술 취한 어조로) 이곳이 의사 바르톨로 집 아니요, 친구?

피가로 솔직히, 그리 나쁘진 않은데요. 다리만 좀 더 휘청휘청 대시면. (훨씬 더 술에 취한 어조로) 여기가 집이 ….

백작 어이쿠! 네 놈은 영락없는 술꾼이구나.

피가로 그걸 노리는 거죠, 기분 좋게 거나한 술꾼이요.

백작 문이 열린다.

피가로 바로 그자입니다. 의사가 나갈 때까지 조금 물러나 있는 게 좋을 것 같습니다.

5장

백작, 피가로(숨어 있다), 바르톨로

바르톨로 (집에서 나가면서 말한다.) 금방 돌아올 테니, 누구든 들이지 마시오. 내려갈 일을 만들다니, 어리석었어. 나한테 주워오라고 시킬 때 알아봤어야 했는데 …. 바질은 왜 안 오는 거지! 내일 내 결혼식은 아무도 모르게 차질 없이 준비해 놓았으려나. 왜 이렇게 감감무소식이람! 대관절 무슨 일인지 가봐야겠어.

6장

백작, 피가로

백작 내가 지금 무슨 말을 들은 게냐? 내일 비밀리에 로진과 결혼한다고!

피가로 나리, 성공이란 무릇 어려우면 어려울수록 도모해야 할 필요성이 더 커지는 법이지요.

백작 이 결혼을 주선하는 그 바질이란 작자는 또 누구고?

피가로 아가씨한테 음악을 가르치는 한심한 인간이지요. 자기 음악에 심취한 인간인데, 수입이 변변치 않다보니 돈 앞에서 무릎 꿇는 걸 마다않는 어리숙한 사기꾼이라고나 할까요. 그러니 그자를 후리는 것쯤은 식은 죽 먹기지요…. (덧창 쪽을 바라보며) 아가씨가 저기 있네요!

백작 누구라고?

피가로 덧창 뒤에요. 저기요, 저기! 쳐다보지는 마시고요, 쳐다보지 마시라고요!

백작 왜?

피가로 아가씨가 그렇게 쓰지 않았습니까. 무심히 노래를 불러달라고요? 그러니까, 나리께서 노래하는 것처럼 노래하시는 겁니다. 진짜 노래하는 것처럼요. 아! 저기 아가씨가 나왔네요.

백작 내 정체도 안 밝혔는데 나한테 관심을 둔 걸 보면 랭도르라는 이름을 계속 써도 되지 않을까. 그러면 내 승리가 더욱 값질 것 같은데. (그는 로진이 던진 쪽지를 펼쳐본다.) 그건 그렇고 이 곡조를 가지고 어떻게 노래를 부른다! 리듬을 만드는 데는 영 소질이 없는데.

피가로 나리, 그냥 머릿속에 떠오르는 대로 하시면 됩니다. 사랑에 빠진 심정은 머릿속에서 무엇이든 다 만들어 내는 법이니까요. 여기 제 기타를 가지고 해보시지요.

백작 이걸로 뭘 어쩌라는 거냐? 내 연주 솜씨는 형편없는데!

피가로 나리 같은 분이 이런 것도 모르시다니요! 손등으로, 프람, 프람, 프람…. 세비야에서 기타 없이 노래를 한다굽쇼! 그럼 단박에 들통 날 걸요. 당장 탄로 나고 말고요!

(피가로는 발코니 아래 벽에 딱 달라붙어 있다.)

백작 (기타를 가지고 이리저리 오락가락하면서 노래 부른다.)

(첫 번째 소절)

당신의 분부대로, 제 신분을 밝히지요.
신분을 숨긴 채, 감히 당신은 연모했지요.
제 이름을 밝힌다한들, 희망을 품을 수 있으리오마는?
상관없지요. 주인님께 순종해야겠지요.

피가로 (낮은 소리로) 좋아요! 어서요! 용기를 내십쇼, 나리!
백작 (두 번째 소절)

랭도르라고 합니다. 평민출신이지요.
제 소망은 그저 평범한 기사의 그것이지요.
훌륭한 기사되어
당신께 귀한 신분과 부유함을 가져다드리는 거!

피가로 아이고! 노래라면 자신 있는 나도 이 이상은 못하겠는 걸.
백작 (세 번째 소절)

아침마다, 여기서 다정한 목소리로
가망 없는 제 사랑을 노래하렵니다.
당신을 보는 것만으로 제 기쁨을 채우렵니다.

제 목소리를 들어줄 수 있나요!

피가로 정말이지, 이 양반이야말로!

(그는 다가가 자기 주인의 옷자락 끝에 키스를 한다.)

백작 피가로?

피가로 주인님?

백작 내 노래를 들었을 것 같으냐?

로진 (안쪽에서 노래한다.)

(『법학 선생』의 곡조)[11]

랭도르가 멋있다고들 하네요
제가 그를 변함없이 사랑해야 한다고….

(요란하게 문이 닫히는 소리가 들린다.)

피가로 아가씨가 나리 노래를 들으신 건 확실하죠?

백작 창문을 부리나케 닫았어. 필시 누군가 방에 들어온

11_ 여기서 보마르셰는 르모니에Lemonnier의 희가극 『법학 선생』의 곡조를 차용했다.

알마비바 백작의 초상(에밀 바야르, 1876).

게야.

피가로 아이고! 가엾기도 해라, 노래하는 목소리가 어찌나 바르르 떨리던지! 아가씨는 넘어왔습니다, 나리.

백작 그녀는 자기가 말한 대로 한 거야. '랭도르가 근사하다고

들하네요.' 우아하면서도 재치는 또 어떻고!

피가로 재간이 보통 아니던데요, 사랑이 물씬 느껴지는뎁쇼!

백작 아가씨가 나한테 넘어온 거 같더냐, 피가로?

피가로 가만히 앉아 그리워하는 건 성에 안 차는지 당장에라도 덧창을 뛰어넘을 기세던데요.

백작 그렇게만 되면. 기꺼이 로진에게 나를 바칠 텐데 …. 영원히.

피가로 모르세요, 나리. 아가씨한테는 나리 말씀이 안 들린다고요.

백작 피가로 선생, 자네한테 해둘 말이 있는데. 아가씨는 내 배우자가 되실 분이다. 자네가 내 이름을 꽁꽁 숨기고 계획을 잘 성사시켜주기만 하면, … 알겠지, 내가 어떤 사람인지 잘 알지 않느냐.

피가로 알아 모시겠습니다요. 자, 피가로, 목돈을 좀 쥐어 볼까.

백작 의심을 살지도 모르니, 물러나 있자꾸나.

피가로 (쾌활하게) 저는 여기서 들어가겠습니다. 제 지휘봉 한 방이면, 감시는 잠재우고, 사랑은 샘솟게 하고, 질투심은 내쫓고, 음모는 몰아내고, 장애들은 남김없이 물리치는 것 정도는 일도 아니죠. 나리, 저의 집에 오시면서 군인 복장에, 숙박허가증이랑 금화 챙기는 것 잊지 마십시오.

백작 금화는 누구한테?

피가로 (재빨리) 금화요, 금화, 그건 활동자금이지요.

백작 두말하면 잔소리지, 피가로. 두둑이 챙겨 가마.

피가로 (가면서) 잠시 후에 뵙겠습니다.

백작 피가로?

피가로 왜 그러십니까?

백작 기타?

피가로 (다시 와서) 기타를 깜빡했네요! 제가 정신머리가 없어서! (그는 간다.)

백작 네 집은 어디지, 덤벙거리기는?

피가로 (다시 돌아오며) 제가 좀 충격을 먹었나 봅니다! 저기 파란색으로 칠해진, 여기서 엎어지면 코 닿을 데 있는 게 제 가겝니다. 저기 납틀 유리창에, 사발[12] 세 개가 공중에 매달려 있고, 손바닥 안에 눈 그림이 있고, '학식과 기술'이라고[13] 씌어 있는 간판이 달려있는 곳 말입니다. (달아난다.)

• •

12_ 채혈할 때 쓰이는 작은 사발.

13_ 왕립외과학술원의 표어. 간판은 아이러니하게도 문장紋章의 형태를 띠고 있다.

제2막

무대는 로진의 방을 보여준다. 무대 안쪽의 십자형 유리창은 창살로 된 덧창으로 막혀 있다.

1장

로진 (혼자 있다. 손에 촛대를 들고, 탁자 위에서 종이를 집어, 글을 쓰기 시작한다.) 마르슬린은[14] 아프고 하인들도 모두 바쁘니, 아무도 내가 편지 쓰는 줄 모르겠지. 혹시 또 모르지, 이 벽에 눈이나 귀가 달려 있는지. 내 아르고스[15]한테 일이 생기는 족족 알아채는 몹쓸 재능이 있는지 말이야. 아무튼, 나는 영감탱이가 대번에 눈치 챌까 무서워 한마디도 입 밖에 낼 수 없고, 한 발자국도 움직일 수가 없다니까. 아! 랭도르! (그녀는 편지를 봉한다.) 편지는 언제 어떻게 건넬지 모르니까 봉해 놔야겠지. 덧창 사이로 그이가 이발사 피가로와 이야기 나누는 게 보였는데. 내 처지를 헤아리는 걸 보면 피가로는 괜찮은 사람 같아. 잠시만이라도 얘기를 나눠볼 수 있으면 좋으련만!

14_ 이름만 거론되고 무대 위에 등장하지 않는 인물이다. 그러나 『피가로의 결혼』에서는 매우 중요한 인물로 등장하여, 나중에 피가로의 생모로 밝혀진다.

15_ 그리스 신화에서 백 개의 눈을 가진 거인족. 헤라로부터 백조로 변신한 님프 이오를 감시하라는 명령을 받고 감시자 역할을 수행하는 존재. 여기서는 바르톨로를 일컫는다.

2장

로진, 피가로

로진 (놀라서) 아! 피가로 씨, 당신을 뵙게 돼서 얼마나 다행인지요!

피가로 건강은 어떠신가요, 아가씨?

로진 썩 좋지는 않아요. 좀이 쑤셔 죽을 지경이에요.

피가로 그러실 겁니다. 지루하다고 살찌는 건 바보들뿐이지요.

로진 누구와 그렇게 유쾌하게 대화를 나누신 건가요? 내용을 들은 건 아니고요….

피가로 제 친척이랑요, 젊은 법학도[16]지요. 재치도 있고, 감성도 풍부하고, 실력도 있고요, 아주 호감 가는 외모에, 전도유망한 청년이죠.

로진 오! 더할 나위 없네요! 정말이에요! 그분 성함이 …?

피가로 랭도르입니다. 가진 건 없어요. 당장 마드리드를 뜨는 일만 없으면, 머지않아 좋은 일자리를 찾게 될 겁니다.

로진 그러시겠죠, 피가로 씨, 찾고 말고요. 당신 말씀대로라면 사람들이 그런 분을 가만 내버려둘 리 있겠어요.

피가로 (방백으로) 옳거니! (큰 소리로) 그런데 딱 한 가지 흠이

16_ 특히 교회법을 공부하는 학생을 일컫는다.

있지 뭡니까. 그 흠이 언제고 그의 앞길을 막을 듯싶어요.

로진 흠이라고요, 피가로 씨! 흠이라고요! 확실한가요?

피가로 사랑에 빠졌다더군요.

로진 사랑에 빠졌다고요! 지금 그걸 흠이라고 하신건가요?

피가로 툭 까놓고 말해서, 무일푼 처지에 그건 응당 흠이라 할 만하지요.

로진 운명이 어찌 그리 불공평할까요! 사랑하는 사람이 누군지 그분이 말하던가요? 궁금하네요….

피가로 아가씨야말로 제가 흉금을 털어놓고 싶은 유일한 분이시지요.

로진 (솔깃해서) 왜죠, 피가로 씨? 저는 세상일에 별로 관심이 없는 사람인데요. 그분이 당신 지인이시라니 저도 그분한테 관심이 가긴 하네요…. 그러니 말씀해주세요.

피가로 (그녀를 찬찬히 살피면서) 상상해 보세요, 아리따우면서도 귀엽고, 온화하고, 사근사근하고, 우아하면서도 생기발랄하고, 신경을 쩌릿쩌릿하게 만드는 분이죠, 보일 듯 말 듯한 발하며, 날씬하고 호리호리한 허리, 오동통한 팔, 분홍빛 입술, 섬섬옥수에 발그레한 두 뺨! 가지런한 치아! 눈망울은 또 어떻고요!

로진 이 도시에 사는 분인가요?

피가로 이 동네에요.

로진 혹시 이 거리에요?

피가로 제 지척에요.

로진 아! 친척 분한테 정말 매력 넘치시는 분이겠어요. 그분…?

피가로 제가 이름을 말 안 했던가요?

로진 (재빨리) 피가로 씨, 당신이 잊으신 게 바로 그거에요. 어서 말씀해주세요, 어서요. 이대로 들어가면 전 영영 알지 못하게 될 테니까요….

피가로 진심으로 알고 싶으신 거죠? 좋습니다. 그분은, 아가씨의 후견인의 피후견인이지요.

로진 피후견인요?

피가로 바르톨로 의사의, 네, 그렇죠.

로진 (감격해서) 아! 피가로 씨…. 믿을 수가 없어요, 정말이에요.

피가로 랭도르도 아가씨한테 확신을 주고 싶어 애를 태우고 있죠.

로진 당신 때문에, 제 가슴이 콩닥콩닥 떨리는데요,

피가로 아이쿠, 떨린다고요? 그건 잘못된 태도입니다, 아가씨. 악이 무섭다고 뒤로 물러서는 건, 이미 두려움이라는 악을 느끼고 있다는 증거지요. 제가 방금 전에 아가씨의 감시꾼들을 모조리 쫓아냈습니다. 어쨌든 내일까지는요.

로진 그분이 저를 진심으로 사랑한다면, 소란피우지 않고 조용히 그걸 저한테 증명해 보이셔야 해요.

피가로 저런, 아가씨! 사랑과 평안이 한 마음 속에 있을 수 있다고 보십니까? 요즘 가엾은 젊은이들은 유감스럽게도 가혹한 선택을 할 수밖에 없지요. 안식 없는 사랑이냐 사랑 없는 안식이냐.

로진 (눈을 내리 깔고) 사랑 없는 안식이… 아마도….

피가로 아! 정말이지 고민이 아닐 수 없죠. 사실 안식 없는 사랑이 더 분명하게 은혜로운 것처럼 보이긴 합니다. 제 생각에는, 제가 여자라면….

로진 (당황해서) 젊은 여성치고 신사분의 존경을 마다하는 사람이 어디 있겠어요.

피가로 그러니까, 제 사촌이 아가씨를 한없이 존경한다니까요.

로진 하지만, 그분이 자칫 조금이라도 부주의하게 되면, 피가로 씨, 그는 우리를 곤경에 빠뜨릴 거예요.

피가로 (방백으로) 우리를 곤경에 빠뜨린다고! (큰 소리로) 아가씨께서 긴히 작은 쪽지라도 보내서 랭도르가 그렇게 못하게 하면…. 쪽지 하나가 큰 힘을 발휘하기도 하니까요.

로진 (그에게 방금 전에 쓴 쪽지를 전해준다.) 다시 쓸 시간이 없으니 이걸로 하죠. 이걸 그분한테 전해주시면서, 말씀도 전해주세요…. 잘 말씀해주세요….

(그녀는 귀를 종긋 세운다.)

피가로 아무도 없어요, 아가씨.

로진 전 순전히 우정의 차원에서 이러는 거라고요.

피가로 말씀하지 않으셔도 압니다. 사랑에는 그 이면이 있는 법이니까요.

로진 아시죠, 순전히 우정의 차원이라고요. 전 단지 곤경에 처하실까봐 ….

피가로 알겠습니다. 종잡을 수 없는 분이로군요. 하지만 기억해두세요, 불꽃을 꺼트린 그 바람이 다음엔 화염덩어리를 몰고 올 수도 있다는 걸요, 그리고 우리 남자들이 바로 그 화염덩어리라는 것도 말입니다. 심지어 그 친구는 말을 하면서도, 저도 흥분한 그 정념의 불꽃을 마구 뿜어대더라니까요. 전 단지 구경꾼일 뿐이고요.

로진 어머나! 제 후견인 목소리에요! 당신이 여기 있는 걸 보면 …. 이쪽 피아노 방을 통해 가능한 조용히 내려가세요.

피가로 침착하시고요. (방백으로, 편지를 가리키며) 제 충고보다 더 의미 있는 게 여기 있으니까요.

(그는 곁방으로 들어간다.)

3장

로진 (홀로) 밖으로 무사히 나갔는지 모르겠네, 불안한데. 피가로 씨는 좋은 사람 같아, 마음에 들어! 정말 신사 중의 신사야; 마음씨 좋은 친척 오라버니 같아! 아! 저기 폭군이 오는군. 작업을 다시 시작해야겠어.

(그녀는 초를 불고,[17] 자리에 앉아, 수틀에 수를 놓는다.)

4장

바르톨로, 로진

바르톨로 (분통을 터뜨리며) 에이! 쳐 죽일 놈 같으니라구! 피가로, 불한당, 날강도가 따로 없다니까! 집안에 들어오는 순간까지 도무지 마음을 놓을 수가 없는데, 어떻게 잠시라도 집을 비울 수 있겠냐 말이야….

로진 누구 때문에 그렇게 역정이 나셨나요?

바르톨로 내 집안을 온통 엉망으로 만들어 놓은 빌어먹을 이발사 놈이지 누구겠소. 레베이예한테[18] 마취제를 주지

17_ 랭도르에게 보낼 편지를 봉하려고 인장을 녹이는 제스처.

않나, 라죄네스[19]한테 재채기 유발제[20]를 주지 않나. 마르슬린 발에는 시퍼런 피멍이 들게 하고, 심지어는 내 노새한테까지, 그 불쌍한 눈먼 짐승 눈에다가는 습포로 찜질까지 했더란 말이지. 내 빚 100에퀴 탕감하겠다고 기를 쓰고 청구서를 늘리려는가 본데. 청구서 좀 갖고 와보라고 해야겠어! 현관에 지키는 사람이 없으니, 무기고 드나들 듯 개나 소나 이 집을 들락거리는 거야.

로진 당신 말고 누가 들어온다고 그래요?

바르톨로 무방비로 나를 노출하는 것만큼 두려운 건 없소. 사방에 모함꾼들과 뻔뻔한 놈들 천지니 말이야…. 오늘 아침 내가 밑에 내려간 사이에 누군가 당신 노래집을 잽싸게 주워간 건 아니오? 오! 내가….

로진 매사를 너무 과장하시는 게 취미이신 모양이네요! 바람에 날려 멀리 날아갔을지도 모르잖아요. 어쩜 우연히 지나던 사람이, 모를 일이지요.

• •

18_ [역주] 레베이예의 원어는 L'Eveillé로 '깨어 있는 사람'이라는 뜻이다. 계속해서 하품을 해대는 인물에게 '깨어 있는 사람'이라고 이름 붙인 것은 보마르셰의 의도적인 작명이라 할 수 있다.

19_ [역주] 라죄네스의 원어는 La Jeunesse로 '젊음, 청춘'이라는 뜻인데, 실제로 이 하인 역은 늙은 노인이 연기하므로 이 또한 역설적인 작명법이다.

20_ 콧속에 삽입하여 재채기를 유도하는 약.

바르톨로 바람, 우연히 지나던 사람이라고! …. 바람 한 점 없었소, 세상에 우연히 지나는 사람은 없어. 한 여인이 무심결에 떨어뜨린 척한 종이를 노리고 일부러 거기에 자리 잡고 있던 누군가는 있을 수 있겠지만.

로진 척하다니요?

바르톨로 그래, 척했지.

로진 (방백으로) 영감탱이 심술보하고는!

바르톨로 어쨌거나 앞으로 이런 일은 두 번 다시 없을 거요. 왜냐, 내가 이 창살들을 싹 다 막아버릴 참이거든.

로진 그러시든가요. 왜 죄다 벽으로 발라버리시지 그러세요. 감옥이나 지하 감방이나 오십보백보 아니겠어요!

바르톨로 길가 쪽 창문들도 말이오? 그것도 그리 나쁠 것 같지 않군…. 그 이발사 놈이 적어도 당신 방에 들어오지는 못할 테니까?

로진 그 사람 때문에 불안하신 거예요?

바르톨로 누가 됐든!

로진 솔직한 말씀이군요!

바르톨로 누구든 경계해야 하오. 착한 줄 알았던 하녀가 당신을 속여먹을지도 모르고, 친하다는 친구들이 당신 하녀를 빼내갈 수도 있는 거고, 철석같이 믿었던 하인이 그들이 그렇게 하는 걸 도울 수도 있는 거니까.

로진 뭐라고요! 제가 피가로 씨의 감언이설에 넘어갈 정도로 줏대도 없는 줄 아세요?

바르톨로 대체 어느 누가 여자들의 요상스런 태도를 이해할 수 있단 말이요? 그간 난 소위 소신 있고 정숙하다고 하는 여인들에게서 그런 태도를 숱하게 보아왔소….

로진 (성이 나서) 남자라면 누구나 우리 여자들한테 잘 보이려고 기를 쓴다는데, 당신은 어쩜 그렇게 제 기분 상하는 말만 골라 하는 걸까요?

바르톨로 (어리둥절해서는) 왜냐고?… 왜?…. 당신은 그 이발사에 대한 내 질문에는 대답하지 않았소.

로진 (모욕을 당한 듯) 좋아요, 그 사람이 제 방에 들어왔어요. 제가 그를 보았고, 그 사람과 대화도 나눠봤어요. 숨길 게 뭐 있어요. 아주 유쾌한 사람이던데요. 어때요, 분해 죽겠죠?

(그녀는 나간다.)

5장

바르톨로 (홀로) 유태인 놈들, 빌어먹을 하인 놈들! 라죄네스? 레베이예? 레베이예, 천치 같은 놈아!

6장

바르톨로, 레베이예

레베이예 (하품을 하면서, 완전히 잠에 취해 도착한다.) 아, 아, 아.

바르톨로 얼간이 네놈은 어디에 있었던 게냐, 이발사 놈이 이곳에 들어왔을 때 말이다.

레베이예 주인님, 저는… 아, 아.

바르톨로 십중팔구 장난질이나 치고 있었겠지? 그자를 못 봤냐 말이다?

레베이예 똑똑히 봤지요. 말하는 폼이, 저를 환자 취급하더라고요. 근데, 그게 이렇게 현실이 될 줄은. 온몸이 쿡쿡 쑤시기 시작하더라니까요. 그 사람 말을 듣기만 했는데 말이죠…. 아, 아, 아.

바르톨로 (그를 흉내 내며) 그 사람 말을 듣기만 했는데 말이죠! 라죄네스, 그래 그 건달 놈은 어디 있는 게냐? 내 처방전도 없이 꼬맹이한테 약을 먹여! 뭔가 꿍꿍이가 있는 게 틀림없어.

7장

앞의 배우들 (라죄네스가 지팡이를 짚고 노인 행색으로 들어온다. 그는 여러 번 재채기를 한다.)

레베이예 (연신 하품을 해대며) 라죄네스가 오네요?

바르톨로 네 놈의 재치기는 일요일도 없냐.

라죄네스 보십쇼, 쉰 번 이상… 한 번에 쉰 번…. (그는 재채기한다.) 완전히 기진맥진입니다요.

바르톨로 뭐라고! 네 놈들한테 누군가 로진의 방에 들어간 자가 있는지 물었는데, 이발사 놈이라고는 뻥긋도 안 하는군.

레베이예 (계속해서 하품을 해대며) 그 누군가가 피가로 씨인가요? 아… 아….

바르톨로 옳거니 이 여우 같은 녀석이 그놈과 내통을 하고 있는가보군.

레베이예 (바보처럼 훌쩍이면서) 제가요…. 내통을 하고 있다고요!

라죄네스 (재채기를 하면서) 하지만, 주인님, 정의라는 게 있는데 그럴 리 있겠습니까?

바르톨로 정의라고! 네 놈들같이 천한 것들한테야 정의라는 게 중요하겠지! 난 너희들 주인이야. 그러니 언제나 내 말이 진리다.

라죄네스 (재채기를 하면서) 그렇다 해도, 어떤 일이 사실이라면 당연히….

바르톨로 어떤 일이 사실이라 해도! 그게 사실이기를 원치 않으면, 난 그게 사실이 아니라고 우기면 그만이야. 아랫것들한테 내가 옳다는 걸 인정하게끔 만하면 되니까, 권위가 뭔지 맛 좀 보여줄까.

라죄네스 (재채기를 하면서) 정말이지 해고통지라도 받았음 싶구먼요. 일이 고된 건 둘째 치고, 노상 지옥행 기차를 탄 것 같아서리.

레베이예 (울먹이면서) 아무리 덕이 있어도 가난하면 미친한 사람 취급을 받는군요.

바르톨로 그럼, 덕성 높은 가난한 양반, 여기서 나가시든가. (그는 그들을 흉내 낸다.) 하나는 재채기나 해대고, 다른 하나는 하품이나 해대는 주제에.

라죄네스 아, 주인님, 맹세컨대 아가씨만 아니면, 이 집에 붙어 있을 이유가 하등 없었을 겁니다.

(그는 재채기를 하면서 나간다.)

바르톨로 피가로 녀석이 도대체 이자들을 어떻게 구워삶은 거지! 오라, 뭔지 알겠다. 이 몹쓸 놈이 땡전 한 푼 안 들이고 내 100에퀴를 탕감 받으려 했구먼.

8장

바르톨로, 바질(결방에 숨어 있는 피가로가 이따금씩 모습을 드러내며 그들의 얘기를 엿듣는다.)

바르톨로 (계속하며) 아! 바질 선생, 로진에게 음악수업을 하러 오셨소?

바질 그건 차후 문제고요.

바르톨로 당신 집에 들렀는데, 안 계시더군.

바질 당신 일을 보러 나갔었지요. 매우 유감스러운 소식을 전해드려야겠습니다.

바르톨로 당신에게 말이오?

바질 아니오, 당신에게요. 알마비바 백작이 이 도시에 와 있답니다.

바르톨로 조용히 말하시오. 로진을 찾으러 마드리드 온 시내 뒤졌다는 작자 말이요?

바질 그자가 중앙광장 근처에 방을 잡고는 매일같이 변장한 채 활개치고 돌아다닌답니다.

바르톨로 의심의 여지가 없군. 골치 아파지겠는데. 어쩌면 좋겠소?

바질 그자가 평범한 신분이면, 떼어낼 수 있겠지만.

바르톨로 그렇지, 저녁에 무장한 채, 갑옷을 입고 매복을 한다면 ….

바질 오, 주여! 그런 위험천만한 일을요! 그보다는 때를 딱 맞춰서 악의적인 일을 꾸며내는 게 한 수가 될 수 있습니다. 그리고 그 일이 영글어가는 동안 모리배들을 동원해서 유언비어를 쫙 퍼뜨리면 되지요.

바르톨로 사람 하나 처리하는 수법치곤 기발한 방법이군.

바질 중상모략을[21] 하는 거지요. 모르셔서 얕잡아보시는데요. 저는 첫손가락에 꼽히는 점잖은 양반들도 이것 한방에 나가떨어지는 걸 숱하게 봐왔습죠. 저를 믿어 보시죠. 조잡스런 악의가 있는 것도 아니고 음란하거나 터무니없는 얘기가 있는 것도 아닙니다. 대도시의 한량들을 요리조리 잘 구슬려서 진실로 믿게만 하면 그만이죠. 이 바닥에는 솜씨 좋은 재주꾼들이 쌔고 쌨으니까요. 처음에는 가벼운 소문으로 시작하는 겁니다. 폭풍우 직전 제비가 바닥을 스치며 날듯, *피아니시모로*[22] 소곤거리고 빠지는 겁니다. 그러고는 독 묻은 화살을 은근슬쩍 날립니다.

21_ 이 장광설은 첫 번째 초고에서는 없었는데, 괴즈망과의 소송 사건 이후에 덧붙여졌고, 로시니의 오페라 아리아들 가운데 가장 유명한 아리아 중 하나가 된다.

22_ pianissimo: 음악용어로 '아주 약하게' 연주할 것을 의미.

어떤 주둥이가 그걸 받아 채서, *피아노, 피아노*로[23] 그걸 당신 귀에다 살그머니 밀어 넣어줄 겁니다. 일단 악이 만들어지면, 그 악은 싹을 틔우고, 쑥쑥 커가다, 쭉쭉 뻗어나가게 되죠. 입에서 입으로 전해지면서 *린포르찬도*로[24] 강력해지고, 악마처럼 맹렬한 속도로 치고 나갑니다. 그러고 나서 돌연 어찌된 영문인지, 중상모략은 몸을 벌떡 일으켜, 휘파람을 불어대고 부풀어 올라 눈에 띄게 덩치가 커지게 되죠. 앞으로 돌진하며 날개를 펼치고, 소용돌이치다가 감싸 안고, 뿌리를 뽑아 끌고 가는가 하면, 폭발해서 으르렁대다가, 하늘의 은총으로 평범한 고함소리가 되고, 공공연한 *크레셴도*가[25] 되어, 증오와 분노와 비난으로 뒤범벅된 대대적인 합창이 된다 이 말입니다. 어느 누가 이걸 버텨낼 재간이 있겠습니까?

바르톨로 도대체 무슨 헛소리를 하는 거요? 내 상황에 *피아노*니 *크레셴도*니가 무슨 상관이란 말이오?

바질 무슨 상관이냐고요? 으레 하는 연적 떼어내기 수법이죠, 연적의 접근을 막아야 할 거 아닙니까.

바르톨로 가까이 오지 못하게 한다고? 로진이 백작의 존재를

23_ piano: '약하게' 연주할 것을 의미.

24_ rinforzando: '강하게' 연주할 것을 의미.

25_ crescendo: '점점 세게' 연주할 것을 의미.

눈치 채기 전에 결혼을 해치워야겠소.

바질 그렇담, 꾸물댈 시간이 없지요.

바르톨로 바질, 이게 다 누구 탓이요? 자잘한 일들은 모두 당신한테 맡겼잖소.

바질 그러셨죠. 하지만 선생께서 비용에 인색하시지 않았습니까. 통상, 한쪽이 기우는 결혼이라든가, 불공정한 판결이라든가, 특별대우라든가, 뭐 이런 것들은 언제나 두둑한 금전상의 보상이 있어야 순조롭게 준비되고 진행되는 겁니다.

바르톨로 (그에게 돈을 건네면서) 그렇기는 하겠지. 어쨌거나 이제 끝을 냅시다.

바질 지당하신 말씀. 내일이면 모든 게 결판이 날 겁니다. 그러기 위해선 오늘 아무도 아가씨 근처에 얼씬도 못하도록 선생께서 막아주셔야 합니다.

바르톨로 그 일은 나한테 맡기시오. 오늘 저녁에 올 생각이요, 바질?

바질 그건 기대하지 마십시오. 온종일 당신 결혼 준비에만 전념해야 하니까요. 그건 기대하지 마시고요.

바르톨로 (그를 배웅하며) 그럼 인사드리겠소.

바질 그냥 계십시오, 선생님, 그냥 계셔도 됩니다.

바르톨로 아니오. 당신을 배웅하고 문단속을 할 참이요.

9장

피가로 (혼자, 곁방에서 나오면서) 오! 제법 그럴싸한 대비책인데. 꽁꽁 닫아걸어 보시지요, 대문을 철통같이 지켜보시란 말입니다, 내가 나가면서 백작님께 그 문을 활짝 열어 재껴 놓을 테니까. 바질이란 작자 정말 몹쓸 인간이로군. 그나마 다행스러운 건, 그 작자가 어리석기 짝이 없다는 점이지. 중상모략으로 세상에 추문을 일으키는 일도 다 확실한 신분과 가문, 이름, 혈통이 있어야 하거늘. 고작 바질 같은 작자가! 주제에 이러쿵저러쿵 씨부려봤자지, 누가 그 말을 믿어주겠어.

10장

로진(달려오면서), 피가로

로진 뭐에요. 피가로 씨, 아직도 여기 계셨어요!

피가로 아가씨한테는 잘된 일입니다. 아가씨 후견인과 음악선생이 자기 둘만 있는 줄 알고 꿍꿍이속을 늘어놓더군요.

로진 그럼 그 얘기를 다 들으신 거예요, 피가로 씨? 나쁜 짓이라는 거 아시면서?

피가로 엿듣는 거 말입니까? 사태를 확실히 파악하는 데는 그만한 게 없죠. 아가씨 후견인이 내일 아가씨와 결혼하려고 한다는 거나 알고 계십시오.

로진 뭐라고요! 하나님 맙소사!

피가로 아무 걱정 마십시오. 우리도 일을 꾸미면 되니까요. 그걸 신경 쓸 겨를도 없을 겁니다.

로진 그 사람이 다시 돌아왔어요. 쪽계단으로 내려가세요. 당신 때문에 조마조마해 죽겠어요.

(피가로 도망친다.)

11장

바르톨로, 로진

로진 여기서 누구와 같이 계셨나요?

바르톨로 동 바질이요. 배웅을 하고 왔소. 물론, 당신은 그자가 피가로였으면 더 좋았겠지만?

로진 그럴 리가요.

바르톨로 이발사가 당신에게 그렇게 다급하게 한 얘기가 뭔지 정말 알고 싶군.

로진 솔직하게 말씀드릴까요? 마르슬린의 용태에 대해 알려주더군요. 그 사람 말이, 썩 좋지는 않다던데요.

바르톨로 당신한테 알려주었다고! 장담컨대, 그자는 당신에게 모종의 편지를 전달할 임무를 띤 것 같던데.

로진 누구 편지 말이에요?

바르톨로 오! 누구냐고! 여자들이 결코 입 밖에 내놓을 수 없는 누군가겠지. 내가 어찌 알겠소? 어쩌면 창문으로 넘긴 쪽지에 대한 답신이려나.

로진 (방백으로) 뭐 하나 그냥 넘어가는 게 없군. (목소리를 높여) 만약 그게 사실이라면, 당신한테 제대로 앙갚음하는 걸 수도 있겠네요.

바르톨로 (로진의 손을 보고) 명명백백해. 당신은 조금 전까지도 글을 쓰고 있었어.

로진 (당황해서) 설마 저한테서 자백 뭐 그런 거라도 받아낼 심산이신가요.

바르톨로 (그녀의 오른손을 잡고서) 내가 말이요! 굳이 그럴 필요가 있을까. 당신 손가락에 잉크자국이 이렇게 버젓이 남아 있는데! 안 그렇소, 영특하신 시뇨라!

로진 (방백으로) 저주받을 인간!

바르톨로 (여전히 손을 쥐고서) 여자들은 혼자 있으면 뭘 해도 안전하다고 생각하나보군.

로진 아! 분명… 빼도 박도 못 할 증거라 할 수 있겠네요! …. 그만요. 제 팔을 비틀고 있잖아요. 양초 가까이에서 바느질을 하다가 데였는데. 얼른 잉크에 손가락을 담가 보라고들 하길래 그렇게 한 것뿐이에요.

바르톨로 당신이 한 게 그거라고? 두 번째 증거가 첫 번째 증거에 대한 증언을 뒷받침해주는지 봅시다. 이 공책에는 확신하건대 여섯 장이 들어 있었어. 어찌 아냐고, 아침마다 그걸 세어보니까 알지, 오늘도 마찬가지고.

로진 (방백) 엉큼한 인간!

바르톨로 (헤아리면서) 셋, 넷, 다섯….

로진 여섯 번째 장은….

바르톨로 여섯 번째 장이 비는군.

로진 (눈을 내리깔고) 피가로 씨의 어린 딸에게 사탕을 보내려고 봉지 만드는 데 썼어요.

바르톨로 피가로의 어린 딸이라구? 그럼 완전히 새 거였던 펜대가 어떻게 이렇게 검게 변한 거지? 왜, 피가로 딸내미 집 주소를 쓰느라 그랬다고 해보시지?

로진 (방백으로) 정말 못 말리는 질투쟁이야. (큰 소리로) 당신 외투의 꽃문양 자수가 지워졌길래, 다시 손질하는 데 사용한 거라고요.

바르톨로의 초상(에밀 바야르, 1876).

바르톨로 잘도 둘러대는 군! 당신 말을 믿게 하려면, 얼굴이 빨개지는 일은 없어야지. 당신도 미처 그건 몰랐겠지.

로진 정말이지 아무 사심 없이 한 일을 그렇게 악의적인 결론으로 몰고 가는데 얼굴 빨개지지 않을 사람이 누가 있겠어요?

바르톨로 물론, 내가 틀렸을 수도 있겠지. 손가락을 데였고, 잉크에 손가락을 담갔고, 피가로의 어린 딸에게 사탕을 주기 위해 봉지를 만들었고, 수틀에 대고 내 외투 수를 놓았으니까! 이보다 더 결백한 게 어디 있겠소. 하지만 이 모두가 한 가지 사실을 숨기기 위해 시작된 거짓말들이지! "나 혼자에 아무도 보는 사람 없으니까 나 편할 대로 거짓말을 꾸며내도 되겠지"하고 말이야. 하지만 손가락 끝에 검은 자국이 남아 있고, 펜대는 얼룩져 있고, 종이는 장 수가 모자라는데. 뭘 더 생각하고 말고 하겠소. 시뇨라, 한 가지 확실한 건, 이제부터 난 시내로 출타할 때도 이중 잠금장치로 당신을 철통같이 지킬 거라는 거요.

12장

백작, 바르톨로, 로진

백작 (기사 제복을 입고, 거나하게 취한 모습으로 노래를 부르며) 잠에서 깨어나세.[26]

바르톨로 그런데 이자는 또 뭐야? 군인인가? 거처로 들어가시지요, 시뇨라.

백작 (노래 부르며) 잠에서 깨어나세, (로진에게로 다가가며) 부인, 당신 둘 중에 누가 발로르도[27] 의사선생이오? (로진에게 낮은 목소리로) 나요, 랭도르.

바르톨로 바르톨로요!

로진 (방백으로) 랭도르라고.

백작 발로르도건, 바르칼로건,[28] 내 알 바 아니고. 둘 중에 누구인지만 알면 됐지 …. (로진에게, 쪽지를 내밀며) 이 편지를 보시지요.

바르톨로 둘 중에 누구냐고! 내가 의사라는 걸 뻔히 알면서! 어서 들어가시오, 로진, 술주정뱅이인 듯싶으니.

로진 그러니까 제가 있어야지요. 당신도 혼자신데요. 여자도 가끔은 강한 인상을 줄 수 있다고요.

바르톨로 들어가시오, 들어가요. 난 그렇게 겁 많은 사람이 아니오.

• •

26_ 군대 노래.

27_ 발로르도Balordo: 이탈리아어로 '요령 없는 사람'이라는 뜻.

28_ 바르칼로Barque à l'eau: '물가의 나룻배'라는 뜻.

13장

백작, 바르톨로

백작 오라! 생김새로 보니 대번에 알아보겠네요.

바르톨로 (편지를 꼭 쥐고 있는 백작에게) 당신 주머니에 감추고 있는 게 뭐요?

백작 뭔지 모르게 하려고 제 주머니에 감춘 겁니다.

바르톨로 내 생김새가 어떻단 말이오? 이런 작자들은 항상 자기가 군인들이랑 얘기하는 줄 안다니까!

백작 생김새를 설명하는 게 뭐 그리 어려운 일이겠습니까?

(곡조)

대롱대롱 흔들리는 대갈통에 대머리
흐리멍덩한 눈빛에, 맹수 같은 시선
인디언 같은 사나운 모습…

바르톨로 도대체 저의가 뭐요? 나를 모욕하기 위해 온 거요? 당장 나가시오.

백작 나가라고요! 참나! 그렇게 말씀하시면 곤란하지요! 글을 읽을 줄 모르십니까, 바르브알로[29] 의사양반?

바르톨로 무슨 되지도 않는 질문이요.

백작 아니! 당신을 곤란하게 하려는 게 아닙니다. 나로 말하면 당신과 마찬가지로 의사란 말입니다.

바르톨로 뭣이라고?

백작 연대의 군마 담당 수의사다 이겁니다. 그래서 동료인 당신 집에 유숙을 배정받은 거지요.

바르톨로 감히 기마관리 장교 따위와 비교해!

백작 (곡조: 포도주 만세)[30]

(노래하지 않고)

아니, 의사선생, 나는 우리 시대의 의술이
히포크라테스와 그의 일파 때보다
더 진보했다고는 주장하지 않겠습니다.

(노래 부르며)

동료양반, 당신네 의술은
소기의 성과를 거두었지요
왜냐하면, 병을 몰아낼 줄은 몰라도

29_ 바르발로Barbe à l'eau: '물에 젖은 수염'이란 뜻.

30_ 보마르셰의 친구인 세덴Sédaine의 <탈영병>에서 따옴.

환자를 몰아낼 줄은 알게 됐으니까요

제 말이 맞지 않습니까?

바르톨로 세상에서 가장 위대하고, 가장 유용하고, 최고 중의 으뜸인 의술을 그렇게 깎아내리다니 참으로 당신답소, 이 무식한 모사꾼양반아!

백작 그걸 써먹는 사람들한테야 완전히 쓸모 있겠지요.

바르톨로 태양도 성공을 밝히는 걸 영광스러워하는 게 의술이요.

백작 대지가 서둘러서 그 오류를 덮으려는 게 의술이기도 하지요.

바르톨로 당신은 말 이외에 사람들과 얘기하는 데는 익숙지 않은 사람인 것 같소.

백작 말이랑 대화를 한다고요? 아, 의사양반, 실력 있는 의사라면…. 말 전문 수의사들은 말이랑 굳이 대화하지 않고도 동물을 고치는 것으로 유명하지요. 반면 의사들은 환자들과 말을 많이 하면서도….

바르톨로 고치지 못한다 이 말이요?

백작 전 그렇게 말씀드리지 않았습니다.

바르톨로 이 빌어먹을 주정뱅이를 여기에 보낸 게 도대체 누구람?

백작 사랑꾼양반께서 그런 독설을 날리시다니요!

바르톨로 요컨대, 원하는 게 뭐요? 뭘 요구하는 거요?

백작 (대단히 화가 난 척하며) 저런, 열불이 나시나 보군요! 내가 원하는 거요? 뭔지 모른단 말입니까?

14장

로진, 백작, 바르톨로

로진 (달려오면서) 장교님! 노기를 푸세요, 부디! (바르톨로에게) 저 분에게 부드럽게 말씀하세요. 헛소리를 하는 사람 같으니.

백작 당신이 옳습니다. 저 자가 헛소리를 하고 있군요. 하지만 우리는 이성적인 사람들 아닙니까! 나로 말하면 예의 바르고, 당신은 아름답기 그지없고, 그거면 충분하지요. 툭 까놓고 말해서 이 집에서 당신 말고는 말을 섞고 싶은 사람이 없군요.

로진 제가 뭘 도와드리면 될까요?

백작 아주 사소한 일입니다, 아가씨. 제가 드린 구절 가운데 애매모호한 대목이 있으면….

로진 제가 알아서 속뜻을 파악하도록 할게요.

백작 (그녀에게 편지를 가리키며) 아니, 그 편지의 구절을 똑바로 보시지요…. 제가 진심으로 드리고 싶은 말씀은, 오늘 저녁 제게 잠자리를 마련해주십사 하는 겁니다.

바르톨로 단지 그것뿐이오?

백작 더 뭐가 있겠습니까. 우리 기마관리 장교가 보낸 명령서를 읽어보시지요.

바르톨로 어디 봅시다. (백작은 편지를 감추고 그에게 다른 종이를 건넨다. 바르톨로는 읽는다.) "의사 바르톨로 씨는 잠자리와 먹을 것을 제공하고, 유숙을 허락한다…."

백작 (힘주어) 잠자리를 제공하고.

바르톨로 "하룻밤만, 학생이자 연대 기병인 랭도르라는 이름의…."

로진 바로 저 사람이에요, 저 사람.

바르톨로 (재빨리, 로진에게) 무슨 일이지?

백작 이래도, 바르바로 씨, 제가 틀렸습니까?

바르톨로 이자는 어떻게 해서든 나를 뭉개버리려고 작정을 한 것 같군. 지옥에나 떨어져라! 바르바로라구! 바르브알로라구! 당신의 버르장머리 없는 상관한테 가서 전하시오, 마드리드에서 돌아오고 나서, 난 군인들을 재워줄 의무에서 면제됐다고 말이오.

백작 (방백으로) 오 하늘이시여! 이렇게 난감할 데가!

바르톨로 아! 언짢으시겠지만, 흥분을 가라앉히시고! 어쨌든 당장 나가주셔야겠소.

백작 (방백으로) 들통 났나 했네! (큰 목소리로) 물러가라 이 말씀인가요! 군인들한테는 그럴 의무가 없으시더라도, 도의적으로는 그럴 의무가 있지 않을까요? 물러나라니요! 그렇담 면제증명서라도 보여주시든가요. 제가 까막눈이긴 해도, 척 보면 알거든요.

바르톨로 그러시던가. 서류는 내 서재에 있소.

백작 (그가 찾으러 가는 동안, 그 자리를 떠나지 않고) 아! 나의 아름다운 로진!

로진 랭도르, 당신이에요?

백작 어서 이 편지를 넣어두시오.

로진 조심하세요. 우리를 예의주시하고 있어요.

백작 손수건을 꺼내시오. 그럼 내가 편지를 떨어뜨릴 테니.

(바르톨로가 다가온다.)

바르톨로 가만, 가만, 군인양반, 나는 누가 됐건 가까이서 내 아내를 쳐다보는 건 딱 질색이요.

백작 당신 아내라니요?

바르톨로 그게 뭐 잘못됐소?

백작 난 당신이 이 아가씨의 외가나 친가 쪽의 증조부쯤 되겠다 생각했는데요. 아가씨와 당신은 못해도 삼대 정도는 차이가 나 보이는데요.

바르톨로 (양피지 문헌을 읽는다.) "우리에게 보내준 그 훌륭하고 충실한 증언에 의하면 …."

백작 (양피지 아래로 손을 밀어 넣어 바닥으로 떨어뜨린다.) 이런 객설이 필요 있겠습니까?

바르톨로 내가 하인들을 부르면, 당신은 즉시 응분의 대가를 치르게 될 거요?

백작 전쟁이라도 하자는 겁니까? 기꺼이 하지요, 전쟁! 그게 내 직업 아닙니까. (자신의 허리춤에 찬 권총을 가리키며) 아가씨는 전쟁을 본 적이 없으시겠지요?

로진 보고 싶지도 않아요.

백작 전쟁만큼 재미난 것도 없죠. (의사를 밀치면서) 적군이 협곡의 한쪽 편에 있고, 다른 편에 아군이 있다고 상상해 보십시오. (로진에게, 편지를 가리키면서) 손수건을 꺼내보십시오. (그는 바닥에 침을 뱉는다.) 여기가 협곡입니다, 아시겠어요.

(로진은 손수건을 꺼내고, 백작이 그녀와 자신 사이에 편지를 떨어뜨린다.)

바르톨로 (몸을 굽힌다.) 아! 아!

백작 (편지를 다시 주워들고는 말한다.) 여기 있습니다. 막 내 직업상의 비밀을 알려줄 참이었는데 …. 사실, 신중한 여성은! …. 그녀의 주머니에서 떨어진 연애편지가 아닐까요.

바르톨로 이리 줘보시오, 달라니까.

백작 살살하시지요, 영감님! 각자 자기 분야가 있지 않습니까. 하긴 당신한테서 떨어진 관장 처방전일지도 모르겠네요.

로진 (손을 내밀며) 아! 그게 뭔지 알았어요.

(그녀는 편지를 받아서, 자신의 앞치마 주머니 속에 감춘다.)

바르톨로 이제 가주시겠소?

백작 암요, 갑니다. 안녕히 계시오. 의사양반. 원망은 하지 않겠습니다. 인사말이나 부탁드리지요. 죽음한테 저를 동반자로 생각지 말아달라고 기도나 해주십시오. 삶이 나한테 그렇게 호의적인 적이 없었거든요.

바르톨로 어서 가시오. 내가 죽고 사는 일에 대해 영향력을 행사할 수 있다면 ….

백작 죽는 일에 대해서라니요? 아니, 의사 아니십니까? 당신이야말로 죽음을 상대로 정말로 많은 일을 하시는 분 아닙니까, 그러니 죽음이 당신의 부탁을 마다할 리 없지요.

(그는 나간다.)

15장

바르톨로, 로진

바르톨로 (그가 가는 것을 바라보며) 드디어 갔군. (방백으로) 능청을 좀 떨어볼까.

로진 저 젊은 군인은 참 쾌활한 사람 같아요. 술 취한 와중에도 재치가 넘치고 제대로 교육을 받은 게 엿보이니 말이에요.

바르톨로 그자에게서 놓여나서 참으로 다행이요, 내 사랑! 그런데 건네받은 쪽지는 안 읽어볼 테요?

로진 무슨 쪽지요?

바르톨로 줍는 척하고 당신한테 건넨 그 쪽지 말이요.

로진 아! 주머니에서 떨어진 건 제 사촌인 장교가 보낸 거예요.

바르톨로 내 보기에는 그자가 자기 호주머니에서 꺼낸 것 같던데.

로진 그건 제 거라고요.

바르톨로 돈 드는 것도 아닌데, 좀 보여주시지?

로진 어디다 뒀는지 모르겠는데요.

바르톨로 (주머니를 가리키며) 거기에 넣어 두었잖소.

로진 아, 그랬나요! 깜빡했어요!

바르톨로 아! 분명. 말도 안 되는 소리인 줄은 당신도 알겠지.

로진 (방백으로) 저 영감탱이의 성질을 건드려 놔야, 나중에 퇴짜 놓을 명분이 생기겠지.

바르톨로 이리 줘보시지요, 내 사랑.

로진 그렇게 고집을 부리시는 이유가? 아직도 저를 의심하시는 건가요?

바르톨로 그러는 당신은! 그걸 한사코 안 보여주는 다른 이유라도 있소?

로진 몇 번을 말해요, 그 쪽지는 내 사촌이 보낸 거라고요, 당신이 어제 뜯어보고 나한테 건네준 거잖아요. 이왕 말이 나왔으니 분명히 말해 두겠는데, 이런 무례한 횡포는 아주 불쾌하기 짝이 없네요.

바르톨로 무슨 말인지.

로진 당신한테 온 쪽지들도 어디 한번 내가 샅샅이 검사를 해볼까요? 당신이 내 물건에 손을 대는 것 같은 느낌이 드는 건 왜죠? 질투심으로 그러는 거라면, 그건 나에 대한 모욕이라고요. 권리를 믿고 그러는 거라면, 그건 더더욱 용납할 수 없고요.

바르톨로 뭐라고, 용납할 수 없다고? 지금까지 그런 말 한 적 없잖소.

로진 당신한테 함부로 나를 모독할 권리를 주자고 내가 지금껏 잠자코 있은 게 아니라고요.

바르톨로 무슨 모독을 말하는 거요?

로진 아무렇지도 않게 남의 편지를 열어보는 거야말로 기가 찰 노릇 아닌가요.

바르톨로 자기 아내의 편지인데도 말이요?

로진 난 아직 당신 아내가 아니에요. 어째서 당신은 누구에게도 안 하는 무례한 행동을 저한테는 서슴없이 하는 거죠?

바르톨로 쪽지에 대한 주의를 딴 데로 돌릴 심산인가 본데, 모르긴 몰라도 애인의 편지라도 되나보지! 하지만 난 봐야겠어, 결단코.

로진 어림없는 소리 마세요. 나한테 조금이라도 가까이 왔다간, 이 집에서 곧장 뛰쳐나가 아무나 붙잡고 도움을 청할 테니까요.

바르톨로 행여나 당신을 받아줄 사람이 있을 성싶소?

로진 두고 보면 알겠죠.

바르톨로 여긴 프랑스가 아니오. 여자들 말이라면 덮어놓고 옳다구나 하는 프랑스가 아니란 말이요. 좌우간 당신의 허무맹랑한 생각을 뿌리 뽑기 위해서라도 문을 단단히 걸어 잠가야겠군.

로진 (그가 문 쪽으로 가는 동안) 하늘이시여. 어찌 하오리까? …. 어서 사촌의 편지로 바꿔치기해야겠어. 그러고는 편지를 갖고 있는 듯한 인상을 풍겨야겠지.

(그녀는 편지를 바꿔치기하고 사촌의 편지를 주머니 속에 넣는다. 편지가 주머니 밖으로 살짝 삐져나와 있다.)

바르톨로 (다시 돌아오며) 당장 그 편지를 보고 싶군.

로진 무슨 권리로요?

바르톨로 가장 널리 알려진 권리로, 그리고 가장 강력한 권리로지.

로진 정히 뺏고 싶으시면 저부터 죽이고 하시든가요.

바르톨로 (발을 구르며) 부인! 부인!

로진 (안락의자 위에 쓰러지며, 아픈 척한다.) 수모도 이런 수모가 없구나!

바르톨로 어서 그 편지를 내놓으시오, 안 그랬다간 나도 어쩌지 못하는 성질을 감당해야 할 거요.

로진 (엎드린 채) 가엾은 로진!

바르톨로 무슨 일이요?

로진 앞날이 깜깜하구나!

바르톨로 로진!

로진 열불이 나서 숨이 막혀요.

바르톨로 어디 아픈가본데.

로진 기운이 하나도 없어요, 죽으려나 봐요.

바르톨로 (맥박을 짚어보고 방백으로) 신들이시여! 그렇지, 편지! 로진이 눈치 채지 않게 읽어볼까.

(그는 계속 맥을 짚으면서, 편지를 꺼내 약간 몸을 돌리고 읽어본다.)

로진 (여전히 엎드린 채) 이렇게 기구한 운명이 또 있을까! 아!

바르톨로 (그녀의 팔을 내려놓고, 방백으로 말한다.) 두려워서 애써 외면했던 진실을 알게 되면 얼마나 괴로울까!

로진 아! 로진, 가엾기도 해라!

바르톨로 향수 때문에 이런 발작 증상이 생겨난 거야.

(안락의자 뒤편으로 가서 그녀의 맥박을 짚으면서 편지를 읽는다. 로진은 살짝 몸을 일으키고, 그를 슬쩍 쳐다보다 고개를 끄덕이고, 다시 말없이 제자리에 눕는다.)

바르톨로 (방백으로) 아이쿠, 이런! 사촌의 편지가 맞잖아. 걱정이네! 이제 어떻게 로진을 달랜담. 모쪼록 내가 읽은 건 눈치 못 채게 해야 하는데!

(그는 그녀를 부축하는 척하면서 편지를 도로 주머니 속에 밀어 넣는다.)

로진 (숨을 내쉬며) 으음! ….

바르톨로 괜찮소! 별일 아니요. 그저 고약한 냄새가 올라와서 그런 것뿐이오. 당신 맥박은 평소처럼 착실하게 잘 뛰고 있으니까.

(그는 콘솔 쪽으로 가서 거기에 놓여 있는 유리병을 집어 든다.)

로진 (방백으로) 편지를 도로 넣어놨군. 됐어!

바르톨로 사랑하는 로진, 정신이 들게 이 강장음료를[31] 좀 넘겨보시오.

로진 난 당신한테서는 어떤 것도 받고 싶지 않아요. 그냥 내버려두세요.

바르톨로 내가 그 쪽지에 대해 너무 열을 냈나보오.

로진 쪽지가 문제로군요. 그게 당신의 수법이지요, 상대가 내켜하지 않는 일을 강요할 때 쓰는.

바르톨로 (무릎을 꿇고) 용서해주시오. 내가 얼마나 잘못했는가 곧 깨달았어. 보다시피 이렇게 무릎을 꿇고, 뉘우치려는 거요.

로진 좋아요, 용서해달라고요! 당신이 그 편지가 내 사촌에게서 온 게 아니라고 여전히 생각하는 데도요.

바르톨로 그 편지가 당신 사촌에게서 온 것인지, 다른 누구한테 온 것인지, 더는 캐지 않을 작정이요.

로진 (그에게 편지를 내밀며) 자 보세요, 이제 정정당당하게 저한테서 얻은 거니까 읽어보시라고요.

바르톨로 의심을 품고 있자니 영 찜찜했었는데, 당신이 이렇게 솔직하게 나오니 내 의심이 싹 걷히는구려.

• •

31_ 강장제 성분의 휘발성 물로, 중세 이래로 기절한 사람의 정신이 돌아오게 하는 데 쓰였다고 함.

로진 어서 읽어보세요.

바르톨로 (뒤로 물러서며) 내가 당신에게 그런 무례를 범한다면 신도 노여워하실 거요.

로진 오히려 읽지 않으려는 게 나를 더 불쾌하게 하는 거라고요.

바르톨로 사죄의 의미니까 내 온전한 믿음의 표시를 받아주시오. 난 불쌍한 마르슬린한테나 가봐야겠소. 뭣 때문인지, 피가로가 마르슬린 발에서 피를 뽑아냈다는군. 당신도 가보지 않겠소?

로진 잠시 후에 올라갈게요.

바르톨로 이제 화해도 했으니, 당신 손을 내어주구려. 당신이 나를 사랑하기만 하면, 아! 당신은 참으로 행복해지련만!

로진 (눈을 내리깔며) 당신이 제 마음에만 들어도! 진심을 다해 당신을 사랑해드릴 텐데요!

바르톨로 당신 마음에 들도록 할 거요, 당신 마음에 들도록 애써보지. 나는 한다면 하는 사람이거든.

16장

로진 (그가 나가는 것을 바라보며) 아! 랭도르! 저 사람이 내 마음에 들도록 해보겠다고 하네요! …. 그렇게 애를 먹인 그 편지 속에 무슨 내용이 있는지 한번 읽어볼까. (그녀는 편지를 읽고 탄식한다.) 아! 진작 읽었어야 했는데. 영감탱이와 아예 대놓고 말다툼을 하라고 권하고 있잖아. 싸움을 팽팽하게 살 끌고 갔는데 막판에 망쳐버렸어. 편지를 받아들 때는 귀밑까지 빨개지는 느낌이었는데. 영감탱이 말이 맞아. 그 사람 말처럼 난 사교술엔 젬병이야. 어떤 상황에서도 여자로서 평정심을 지키는 그런 요령 같은 거 말이야. 비뚤어진 노인네가 세상에 둘도 없이 순수한 여자를 간교한 여자로 만드는구나.

제3막

1장

바르톨로 (홀로, 의기소침해져서) 종잡을 수가 없네! 종잡을 수가 없어! 진정된 듯싶었는데…. 바질의 수업을 받지 않겠다니, 그 생각은 또 누가 쑤셔 넣은 거지! 바질이 내 결혼식 꾸미는 걸 눈치 챈 건가…. (문 두드리는 소리) 여자들 마음에 들려면 세상 별의별 일들을 다 해야 한다니까. 여차해서 사소한 거 하나라도 빠트렸다가는, 단 한 가지라도…. (두 번째로 문 두드리는 소리) 누군지 볼까.

2장

바르톨로, 법학도 복장을 한 백작

백작 평화와 기쁨이 언제나 이곳에 함께 있기를!

바르톨로 (득달같이) 더할 나위 없는 바람이구료. 무슨 일이요?

백작 저는 알롱조라고 합니다. 법학도로 학사학위도 있고요.

바르톨로 가정교사는 필요 없소.

백작 수녀원의 오르간 연주자이시자, 영광스럽게도 부인께 음악을 가르치시는 동 바질 선생님의 제자입니다.

바르톨로 바질! 오르간 연주자! 영광스럽다고! 그건 뭐 나도 알고 있는 사실이고.

백작 (방백으로) 거만한 작자군! (큰 소리로) 바질 선생님께서는 병환으로 침대에서 꼼짝 못하고 계십니다.

바르톨로 침대에서 꼼짝 못하고 있다고! 바질이! 그래서 사람을 보낸 게로군. 아니 당장 내가 가봐야겠어.

백작 (방백으로) 이런! 제기랄! (목청을 높여) 제가 침대라고 말씀드린 건, 방이라는 뜻입니다.

바르톨로 단순히 불편한 정도여야 할 텐데. 앞장 서보시오. 뒤따라갈 테니.

백작 (당황해서) 제가 잘 보살펴드리고 있습니다…. 누가 우리 얘길 듣는 자가 있을까요?

바르톨로 (방백으로) 뭔가 사기꾼 냄새가 나는데. (큰 소리로) 없소, 차분히 얘기해보시오.

백작 (방백으로) 엉큼한 노인네! (큰 소리로) 바질 선생님께서 박사님께 알려드리라고 하셨습니다.

바르톨로 큰 소리로 말해주시오. 한쪽 귀가 좀 시원치 않아서 말이야.

백작 (목소리를 높여서) 아! 그러지요. 알마비바 백작이 중앙광장에 머물고 있답니다.

바르톨로 (화들짝 놀라서) 목소리를 낮추시오, 낮춰요!

백작 (목소리를 높여서) 오늘 아침에 그곳을 떠났답니다. 바질 선생님도 저를 통해서 알마비바 백작이 그곳에 있다는 걸 아신지라….

바르톨로 조용히, 제발 조용히 말하시오.

백작 (같은 어조로) … 이 도시에 있다는 것과 로진 아가씨가 그자에게 편지를 썼다는 사실을 제가 알아냈지요….

바르톨로 그자에게 편지를 썼다고? 자, 여기 앉아서 찬찬히 말해보시오. 로진이 그랬다는 걸 당신이 알아냈다고….

백작 (거만하게) 그렇고 말굽쇼. 그 서신 때문에 당신이 염려되어 바질 선생께서 저에게 자신의 편지를 전해드리라고 하셨습니다. 안타깝게도 사태 파악에 좀 둔하신 것 같아….

바르톨로 아니, 상황은 훤히 꿰뚫고 있소. 그런데 좀 더 조용히 말해줄 수 없겠소?

백작 한쪽 귀가 시원치 않다고 말씀하시지 않으셨습니까?

바르톨로 미안해요, 미안해, 알롱조 씨. 나를 의심 많고 몰인정한 사람이라고 생각하겠지만, 그건 내가 하도 모사꾼들이랑 협잡꾼들에 둘러싸이다보니 그렇게 된 거요. 그건 그렇고 당신의 풍모나 나이, 생김새로 보건대…. 미안하오, 미안해. 편지는 가지고 있소?

백작 이 정도 어조가 좋겠군요. 하지만 누가 엿듣지나 않을까 걱정됩니다.

바르톨로 누가 듣는다는 거요? 하인들은 저마다 진이 빠져 있고! 로진은 성을 내고 제 방에 틀어박혀 있는데! 우리 집에 마귀가 들어왔다 해도. 걱정 없소.

(그가 조심스럽게 로진의 방문을 열러 간다.)

백작 (방백으로) 발끈하는 성질에 내가 내 꾀에 넘어갔구나 …. 당장은 편지를 갖고 있는 게 좋겠어. 술행랑을 치는 게 상책이려나. 오지 말았어야 했는데 …. 저자한테 보여줘야 하나? 로진에게 귀띔해줄 수만 있으면, 저자한테 편지를 보여주는 것도 신의 한 수가 될 텐데.

바르톨로 (까치발로 다시 돌아오면서) 로진은 지금 창가에서 문을 등지고 앉아 자기 사촌이 보낸 편지를 읽느라 정신이 없소. 내가 훔쳐본 편지지 …. 로진이 썼다는 편지나 좀 봅시다.

백작 (로진의 편지를 그에게 건넨다.) 여기 있습니다. (방백으로) 로진이 다시 읽고 있는 건 내가 보낸 편진데.

바르톨로 (읽는다.) “당신이 누구시고, 어떤 분이신지 알려주신 이후로 ….” 아! 배신자, 이건 틀림없는 로진의 필체야.

백작 (놀라서) 언성을 좀 낮추시죠.

바르톨로 당신한테 진 빚이 이만저만이 아니오.

백작 사태가 말끔히 수습되고, 저에게 은혜를 갚아야겠다 싶으시면, 저를 선생으로 써주시기만 하면 됩니다 …. 바질 선생께서 법률가랑 처리하고 있는 일에 따라 ….

바르톨로 지금 내 결혼 문제로 법률가랑 만났다고?

백작 아마도요. 내일이면 준비가 모두 완료된다고 말씀드리라 하셨습니다. 그래도 아가씨가 고집을 부리면….

바르톨로 로진이 고집을 부리긴 할 거요.

백작 (편지를 도로 가져가려하고, 바르톨로는 편지를 손에 꼭 움켜쥔다.) 이제 제가 박사님을 도와드릴 때가 왔습니다. 아가씨한테 아가씨가 쓴 편지를 보여주고, 여차하면 (좀 더 은밀하게) 백작에게 버림받은 여성한테서 그 편지를 입수했다고 넌지시 말하는 겁니다. 그럼 아가씨는 마음의 동요와 수치심, 원통함으로 당장에라도….

바르톨로 (웃으면서) 중상모략을 하자는 거군. 친구, 이제야 당신이 바질이 보낸 사람이라는 확신이 드는군…. 그런데 이 일이 미리 짠 것처럼 보이지 않게 하려면, 로진에게 당신을 미리 소개하는 것이 좋지 않을까?

백작 (기쁨의 환호성을 눌러 참으며) 바질 스승님의 생각이 바로 그거였습니다. 하지만 어떻게 할까요? 조금 늦었긴 한데 … 시간이 얼마 없는지라.

바르톨로 바질 대신 당신이 왔다고 말하겠소. 로진한테 수업은 잘 해줄 수 있겠지?

백작 박사님을 흡족하게 하는 일이라면 뭔들 못 하겠습니까. 그렇긴 해도 가짜 선생 노릇은 임시방편이고, 연극에 불과하다는 걸 유념하십시오. 아가씨가 혹여 의심이라도 품게 되면?

바르톨로 내가 당신을 소개하는데 그럴 리 없소. 허우대가 좋구먼! 당신은 어째 바질을 보필하는 친구라기보다는 변장한 애인 같아 보이는군.

백작 그런가요? 이만한 행색이면 사기 치는 데 도움이 되겠습니까?

바르톨로 진실을 꿰뚫어보기 위해서는 예리한 눈이 필요하지. 오늘 저녁 로진의 기분은 최악이요. 그래도 당신을 만나게 할 참이야. 피아노는 저기 곁방에 있으니, 편안히 기다리고 계시오. 무슨 수를 써서라도 로진을 데려갈 테니.

백작 아가씨께 편지 얘기는 꺼내지 않는 겁니다.

바르톨로 결정적인 순간까지는 안 할 거요! 안 그럼 모든 게 수포로 돌아갈 테니까. 나한테 같은 얘길 두 번 할 필요는 없소. 두말하면 잔소리지.

(그는 나간다.)

3장

백작 (혼자서) 아휴 이제야 살았네! 저 도깨비 같은 영감 상대하는 게 여간 힘이 드는 게 아니군! 피가로 말이 맞았어. 내가 봐도 내 거짓말은 왠지 어설프고 서투르단 말이지. 역시 피가로 눈은 예리해! … 물론 까놓고 말해, 편지 생각이 때마침 떠오르지 않았다면, 어리바리하다 쫓겨났겠지. 저 안에서 옥신각신하고 있나보군. 로진이 오지 않겠다고 고집부리면 어쩐다! 가서 들어보자…. 로진이 자기 방에서 안 나오겠다고 하고 있군. 자칫하다간 계획이 틀어지겠는데. (그는 몸을 돌려 듣는다.) 그녀가 오는군. 당장은 몸을 숨기고 있어야겠는데.

(그는 곁방으로 들어간다.)

4장

백작, 로진, 바르톨로

로진 (화난 척하며) 말씀하셔봤자 소용없어요. 제 결심은 확고해요. 더 이상 음악 얘긴 듣고 싶지 않다고요.

바르톨로 그러지 말고, 들어보시오. 이쪽은 시뇨르 알롱조이고 바질 선생의 제자이자 친구라는군. 바질 선생이 우리 증인 중 한 명으로 선택한 분이지. 장담하건대, 음악이 당신의 마음을 다독여줄 거요.

로진 단지 그 이유라면, 그 생각은 버리셔도 돼요. 이 마당에 오늘 나더러 노래를 부르라니요! 그 선생은 어디 있죠, 당신이 차마 내쫓지 못하는 그 선생 말이에요? 내가 단 두 마디로 쫓아내드리죠, 바질 선생님도요. (그녀는 자신의 연인을 알아보고는 비명을 지른다.) 아! ….

바르톨로 무슨 일이요?

로진 (혼란스러워서 자신의 가슴에 두 손을 얹고) 아, 하느님! 아 하느님!

바르톨로 그녀가 아직 좀 몸이 불편한가보오…. 알롱조 선생.

로진 아니에요. 몸이 불편한 게 아니고 홱 돌아서다가 …. 아!

백작 발목을 삐끗하셨나보군요, 부인?

로진 아! 네, 발목을 좀 삐었어요. 통증이 심하네요.

백작 제가 제대로 맞췄군요.

로진 (백작을 바라보며) 충격이 심장까지 전해지네요.

바르톨로 의자, 의자. 여기 의자가 없나?

(그는 의자를 찾으러 간다.)

백작 아, 로진!

로진 어찌 이리 무모해요!

백작 당신한테 할 말이 산더미요.

로진 저 사람이 우리 곁에 진드기처럼 붙어 있을 텐데요.

백작 피가로가 우릴 도와주러 올 거요.

바르톨로 (의자를 가지고 온다.) 자, 귀여운 사람, 여기 앉으시오. 이보시오, 오늘 저녁은 로진이 수업 받을 형편이 아닌 것 같군. 다른 날이 좋겠어. 잘 가시오.

로진 (백작에게) 아니에요, 기다려 보세요. 통증이 차츰 가시는 것 같아요. (바르톨로에게) 당신에게 제가 너무 심했던 것 같아요. 당신처럼 저도 얼른 사과드릴게요.

바르톨로 어찌 이리 마음씨가 고운지! 이왕 그렇게 마음먹은 김에, 당신이 조금만 노력해준다면 내가 이리 힘들지 않을 텐데 말이오. 잘 가시게, 잘 가시게 법학도양반.

로진 (백작에게) 잠시만요, 제발! (바르톨로에게) 제가 얼마나 죄송하게 생각하는지 보여드리는 차원에서라도 수업을 받게 해주세요, 안 그러면 당신이 저의 소망 따윈 아랑곳하지 않는다고 생각하겠어요.

백작 (바르톨로에게 방백으로) 저를 믿으시면, 아가씨 원대로 해드리시지요.

바르톨로 좋소, 내 사랑. 당신 뜻을 거스를 생각은 없으니까. 당신이 공부하는 내내 여기 있고 싶군.

로진 그러실 필요 없어요. 당신이 음악에 취미가 없으신 줄은 잘 알고 있는데요 뭐.

바르톨로 어쩐 일인지 오늘 저녁에는 음악이 당기는구려.

로진 (백작에게, 방백으로) 곤욕도 이런 곤욕이 없어요.

백작 (보면대 위에서 악보를 집어 들면서) 이 곡으로 하시겠습니까?

로진 네, 이 대목이 <부질없는 경계> 중에 제일 마음에 드는 부분이에요.

바르톨로 아직도 <부질없는 경계>로군!

백작 이 작품이야말로 요즘 최신작이죠. 봄의 이미지를 듬뿍 담고 있어 매우 생동감 넘치는 작품이랄까요. 아가씨께서 이 곡조를 부르고 싶어 하시니 ….

로진 (백작을 쳐다보며) 기꺼이요. 봄의 정경 부분이 마음에 쏙 들어요. 봄은 삼라만상의 청춘을 의미하잖아요. 겨울에서 빠져나오면서, 심장이 더 팔딱거리는 감수성을 얻게 되는 것 같아요. 오랫동안 갇혀 있던 노예가 마침내 자유를 얻고 그 참맛을 한껏 만끽하는 것처럼요.

바르톨로 (낮은 목소리로, 백작에게) 허구한 날 머릿속에는 엉뚱한 공상뿐이라니까요.

백작 (낮은 목소리로) 어딘가 써먹을 데가 있을지 누가 압니까?

바르톨로 행여나!

(그는 로진이 앉아 있던 안락의자에 앉으러 간다.)

로진 (노래 부른다.)[32]

• •

32_ 초연 시 이 역할을 맡았던 마드무아젤 돌리니Doligny는 공연 둘째 날부터 재능 부족을 내세워 이 노래를 부르는 것을 거부하였다. 그 당시 노래 부르는 것은 코메디 프랑세즈 극장의 배우의 격에

사랑이 그토록 다정한 연인들의 봄을 평원에 가져올 때
모든 것이 존재감을 되찾고
사랑의 불길이 꽃송이들과 젊은이들의 심장 속을 파고들어
가네.
한 무리들이 촌락에서 나가는 게 보이네.
작은 언덕에는 어린 양들의 울음소리가 울려 퍼지고
양들이 뛰어 놀고.
모든 것이 들끓고,
모든 것이 솟아오르고,
암양들이 뛰어 놀고
꽃들이 피어나고
충직한 개들은 꽃들을 지켜보네.

• •

맞지 않는 것으로 인식되었는데, 그래서 보마르셰는 차후에 다음과 같은 노트를 삽입해 넣었다. "스페인 취향의 이 아리에트는 파리에서의 공연 첫 날 야유와 소란 가운데서 불렀다. 그 후 여배우는 다시 부를 엄두를 내지 못했고, 극장의 젊은 원칙주의자들은 이러한 그녀의 주저함을 되레 칭찬했다. 코메디 프랑세즈가 이로 인해 어떤 권위를 얻었는지는 모르지만, 이 작품은 많은 것을 잃었다. 따라서 우리는 모든 극장장이 이 아리에트를 복원시켜, 모든 배우들이 이 노래를 부르고, 모든 관객들이 이 노래를 듣고, 모든 비평가들이 이 노래가 불러일으킬 즐거움과 극의 장르를 감안하여 우리를 용서해주기를 요청하는 바이다."

하지만 열정에 사로잡힌 랭도르는
오로지 소녀 목동에게서
사랑받는 행복만을 생각 하네.

(같은 곡조)

어머니에게서 멀리 떨어져 나온
이 소녀목동은 노래 부르며
연인이 기다리는 곳으로 가네.
계략으로
사랑은 그녀를 이용하는데
노래 부르는 것으로
위험에서 빠져나올 수 있을까?
온화한 갈대피리, 새들의 노래 소리,
그들의 매력이 샘솟고
15살 혹은 16살
모두가 그녀의 마음을 들뜨게 하고
모두가 그녀를 자극하고
가엾은 소녀는 그의 떠남에 불안해지네.
랭도르가 그녀를 지켜보네.
그녀는 다가가네.

랭도르가 몸을 날려
그녀와 입을 맞추네.
마음이 놓였지만 그녀는 화가 난 척하네.
자신을 다독여주길 기대하며.

(후렴구)

한숨, 배려, 약속, 다정함, 기쁨, 농담이 사용된다네.
곧 소녀 목동은 더 이상 분노를 느끼지 못하고
질투가 그토록 온화한 행복에 혼란을 가져온다면
우리의 연인들은 서로 화합하여 한없는 배려심으로
그들의 희열을 숨긴다네.
하지만 서로 사랑할 땐, 즐거운 일 못지않게 거북한 일도 생기는 법.

(바르톨로는 노래를 들으면서 스르르 잠이 든다. 백작은 곡조가 진행되는 동안, 대담하게 로진의 손을 잡고, 그녀의 손에 입맞춤을 한다. 감정에 취해 로진의 노래 가락이 느려지고, 목소리가 잦아들고, 심지어는 중간 중간에 소리가 끊어지기도 한다. 오케스트라가 가수의 움직임을 쫓아가면서, 흐름도 늘어지다가 그녀와 함께 연주가 중단된다. 소리가 멈추자 바르톨로가 깨어난다. 백작이

몸을 일으키자, 로진과 오케스트라는 허겁지겁 곡조를 다시 시작한다. 작은 후렴구가 반복되면, 같은 연기가 다시 시작된다.)

백작 참으로, 감미로운 곡이지요. 아가씨께서 너무도 영민하게 부르시는군요.

로진 과찬이세요, 선생님. 제가 선생님께 감사드려야죠.

바르톨로 (하품을 하며) 감미로운 대목에서 내가 깜빡 잠이 들었나보군. 환자들 때문에 왔다, 갔다, 뱅뱅 돌다가, 자리에 앉기를 쉬지 않으니, 내 불쌍한 다리가 ….

(그는 일어서서, 안락의자를 밀어낸다.)

로진 (낮은 목소리로, 백작에게) 피가로 씨는 왜 안 오는 거죠!

백작 시간을 좀 끌어봅시다.

바르톨로 그런데 법학도 선생, 내가 늙은 바질한테도 말했소마는, 명곡들보다 좀 흥겹고 신나는 것으로 연구해볼 방도가 없겠소? 명곡이라는 곡들은 음정이 이 오 아 아 아 아 사이에서만 오르내리는 장송곡마냥 우중충해서 말이야. 내가 젊었을 때 불러제낀 곡들은 누구든 쉽게 기억할 만한 것들이었지. 얼마 전까지도 생각이 났었는데 … 예를 들면 ….

(리토르넬로가 연주되는 동안 그는 가사를 기억해 내려고 머리를 긁적이다가, 엄지손가락으로 탁탁 소리를 내고, 노인들처럼 무릎

으로 춤을 추면서 노래를 부른다.)

그대는 원하나, 나의 로지네트,
왕과 같은 남편을 맞이하기를?

(백작에게 웃으면서) 원래 노래 가사는 팡쇼네트였는데, 내가 로지네트로 바꿨지. 로진의 기분도 맞추고, 상황에 맞게 하려고 말이오. 하하하! 정말로! 어때, 이만하면 쓸 만하지 않소?

백작 (웃으면서) 하하하! 최곱니다.

5장

피가로(무대 안쪽에서), 로진, 바르톨로, 백작

바르톨로 (노래 부른다.)

그대는 원하나, 나의 로지네트,
왕과 같은 남편을 맞이하기를?
나는 나비가 아니라네.
하지만 칠흑같이 어두운 밤에도

난 여전히 내 진가를 발휘할지니
아무리 어여쁜 고양이도 어둠 속에선 회색 뭉치에 불과하다네.

(그는 춤을 추면서 노래를 연습한다. 그 뒤에서 피가로가 그의 동작을 흉내 낸다.)

(피가로를 알아보고는) 아! 들어오시오, 이발사양반. 앞으로 오시오, 여전히 인물이 훤하구먼!

피가로 (인사를 건네며) 사실 저의 어머니도 예전에 그렇게 말씀하셨죠, 하지만 그때보다는 좀 망가졌지요. (방백으로, 백작에게) 브라보, 나리!

(이 장면이 진행되는 동안, 백작은 로진에게 말을 걸려 애쓰지만, 후견인의 노심초사 경계하는 눈초리 때문에 선뜻 행동에 옮기지 못한다. 이로 인해 의사와 피가로 사이의 말다툼에 참여하지 않는 다른 모든 배우들의 무언의 연기가 진행된다.)

바르톨로 관장하고, 사혈하고, 약을 처먹여 우리 집 전체를 병상으로 만들려고 오셨나?

피가로 어디 매일 매일이 잔칫날 같을 수야 있나요. 하지만 일상적인 치료 말고도, 선생님도 보시지 않습니까, 제 처치를 필요로 하는 곳엔 언제든, 부르기도 전에 달려가 열성을 다하는 걸요.

바르톨로 부르기도 전에 달려가 열성을 다한다! 그렇담 열성 선생, 연신 하품해대면서 깬 채로 잠을 자는 이 불쌍한 인간한테는 무슨 말을 해줄 테요? 그리고 세 시간째 골이 터져라 재채기를 해대는 저 인간한테는 또 무슨 얘기를 해줄 거고?

피가로 저들에게 무슨 말을 할 거냐고요?

바르톨로 그렇소!

피가로 저들에게 말하겠습니다…. 재채기를 쏟아내는 사람한테는 이렇게 말하면 되죠. "부디 신의 축복이 있으시기를", 그리고 하품을 해대는 사람한테는 "가서 숙면을 취하십시오"라고요. 이런 걸로 청구서를 불리지는 않습니다.

바르톨로 당연하지. 합의된 사혈과 약 처방이어야 청구서도 불릴 수 있는 거니까. 예의 그 열성으로 내 노새의 눈을 멀게 한 거고, 그 열성으로 당신의 찜질포가 시력을 되찾게 해줄 거란 말이요?

피가로 찜질포로 시력이 회복되지 않을 수는 있겠지만, 찜질포 때문에 나을 게 안 낫지는 않을 겁니다.

바르톨로 청구서에 찜질포 항목이 있단 봐라! …. 이따위 터무니없는 처방은 인정할 수 없어!

피가로 선생님, 어차피 좀 모자란 짓과 정신 나간 짓 가운데 선택해야 한다면, 뭐가 더 이득이려나 모르겠지만, 하다 못해 즐거움이라도 있는 쪽을 택해야 하지 않을까요. 재미가 최우선이지요! 세상이 멸망할 날이 고작 삼 주밖에 안 남았을지 누가 압니까?

바르톨로 그렇담 차일피일 미루지 말고 내 100에퀴랑 이자 갚는 데나 성의를 좀 보여주시지, 떠버리양반, 경고하는 거요.

피가로 제 신의를 의심하시는 겁니까? 당신의 100에퀴라고요! 마음 같아서는 그 빚, 한 번 거부하고 말 게 아니라 평생 질질 끌고 가고 싶네요.

바르톨로 당신 어린 딸한테 가져다준다는 사탕은 도대체 어떻게 된 건지 말씀 좀 해보시지?

피가로 무슨 사탕 말입니까, 무슨 말씀을 하시는 건지?

바르톨로 그렇소, 사탕, 오늘 아침에 편지지로 만든 봉투 속에 들어 있는 사탕 말이요.

피가로 이 무슨 귀신이 곡할 소린지!

로진 (피가로의 말을 가로막으면서) 피가로 씨, 당신이 배려해주셨잖아요, 제가 그 아이한테 사탕을 건네줄 수 있게? 제가 부탁을 드렸더랬죠.

피가로 아하! 오늘 아침 사탕이요? 아이고 이렇게 한심할 데가 있나! 깜빡했습니다…. 오! 끝내줬어요, 아가씨,

환호성이 절로 나왔죠.

바르톨로 끝내줬다고! 환호성이 절로 나왔다고! 그렇지, 그랬겠지. 이발사양반, 이제 그만하시지! 또 무슨 깜찍한 일을 꾸민 거요!

피가로 그 일이 뭐 어떻다는 말씀입니까?

바르톨로 당신 평판에 이롭지 않을 거요!

피가로 평판에 금가지 않게 제가 노력하지요.

바르톨로 평판을 지키시겠다!

피가로 원하신다면요, 선생님!

바르톨로 참 오만방자하기 이를 데 없구먼. 난 결코 물러서지 않아, 특히 한심한 자랑 말싸움을 할 땐 말이오.

피가로 (바르톨로에게 등을 보이며) 우리가 다른 게 바로 이 점입니다! 저는 늘 양보하는 쪽을 택하니까요.

바르톨로 뭐라고? 저자가 뭐라고 떠들어대는 거요, 법학도양반?

피가로 면도기나 만지는 동네 이발사나부랭이를 상대하고 있다고 생각하시나 본데요? 마드리드에서는 이래봬도 펜대로 먹고 살았던 놈입니다. 시샘꾼들만 없었어도….

바르톨로 그럼 군이 이곳까지 와서 직업을 바꿀 게 아니라, 거기 있지 그랬소?

피가로 사람은 자기가 할 수 있는 일을 하는 겁니다. 제

입장이 돼보시면.

바르톨로 당신 입장이 돼보라니! 욕이 나오려 하는군!

피가로 선생님, 시작 참 잘하셨습니다. 저기 넋 놓고 계시는 동료 분께 의견을 구해볼까요.

백작 (그에게로 다시 오면서) 난 저 선생의 동료가 아닙니다.

피가로 아니라고요! 전 당신이 여기서 진찰하는 걸 유심히 지켜보시길래, 같은 일을 하시는 줄 알았죠.

바르톨로 (역정을 내며) 그건 그렇고, 무슨 용무로 왔소? 오늘 저녁에도 로진한테 가져다줄 편지가 있는 거요? 말해보시오, 내가 자리를 비켜줘야 하나?

피가로 당신은 정말 가엾은 사람들을 함부로 대하시는군요. 전 이발을 해드리러 온 겁니다. 그뿐입니다. 오늘 이발하기로 하지 않았습니까?

바르톨로 나중에 다시 오시오.

피가로 다시 오라니요! 내일 아침에는 주둔군 전체에 소독을 하러 가야 합니다. 로비를 해서 가까스로 얻은 기회거든요. 허비할 시간이 없습니다. 진료실로 가시지요?

바르톨로 아니, 내 방으로는 절대 안 갈 거요. 여기서 이발하는데 누구 방해할 사람이 있소?

로진 (거만하게) 당신같이 점잖으신 분이요! 제 방은 어떠세요?

바르톨로 우리 아가씨가 화가 났구먼! 미안. 미안, 당신은 당신 수업을 끝내야 하고, 난 일분일초도 당신 목소리 듣는 즐거움을 놓치고 싶지 않거든.

피가로 (낮은 목소리로, 백작에게) 여기서 저 자를 끌어내긴 어렵겠는데요! (목소리를 높여) 자, 레베이예, 라죄네스, 앙동이랑 물, 선생님께 필요한 것들 좀 가져다줘요.

바르톨로 어디 한번 실컷 불러보시지! 당신 처방으로 기운 빠져 곤죽이 돼가지고 정신줄을 놓고 있는데. 잠이라도 재워야 하지 않겠소?

피가로 좋습니다! 그럼 제가 당신 방에 가서 필요한 물건들을 찾아보죠, 그럼 되겠습니까? (백작에게 낮은 목소리로) 제가 밖으로 유인해보겠습니다.

바르톨로 (열쇠 다발을 풀어서, 신중하게 말한다.) 아니, 아니, 내가 직접 갈 거요. (가면서 백작에게 낮은 목소리로) 저들이나 잘 지키고 계시오.

6장

피가로, 백작, 로진

피가로 아! 절호의 기회였는데, 놓쳤네요! 열쇠 다발을 건네받을 참이었는데. 덧창의 열쇠가 거기 있지 않나요?

로진 제일 새 열쇠가 그거예요.

7장

바르톨로, 피가로, 백작, 로진

바르톨로 (돌아오면서, 방백으로) 참내! 음흉한 이발사 놈을 남겨 놓고 내가 뭘 하는 건지 모르겠군. (피가로에게) 자 여기 있네. (그는 열쇠 다발을 피가로에게 건넨다.) 곁방, 책상 아래에 있네. 다른 건 아무것도 건드리지 말고.

피가로 아이쿠! 웬일로 당신처럼 의심 많으신 분이, 잘 생각하셨습니다. (가면서 방백으로) 하나님, 아무쪼록 이 순진한 양을 보호해주시길!

8장

바르톨로, 백작, 로진

바르톨로 (백작에게 낮은 소리로) 백작에게 편지를 건네준 놈이 저 건달 녀석이요.

백작 (낮은 목소리로) 사기꾼 냄새가 폴폴 나는데요.

바르톨로 아무리 그래도 나를 이겨먹을 순 없소.

백작 이 문제 있어서는 가장 힘센 자가 이기게 돼 있습니다.

바르톨로 이리저리 따져 보니, 저자를 로진과 같이 있게 하느니 내 방으로 심부름 보내는 게 더 안전하다는 생각이 듭디다.

백작 저는 상관없는 사람이니 저와 서로 말을 섞기는 쉽지 않았을 겁니다.

로진 신사분들 예의도 참 바르시지, 그렇게 연신 소곤대시다니요! 도대체 제 수업은 어떻게 되는 거죠?

(와장창 그릇 깨지는 소리가 들린다.)

바르톨로 (고함을 내지르며) 이게 무슨 소리지? 저 흉악한 이발사 놈이 계단에서 모조리 박살낸 거 아냐, 내 귀한 도자기 작품들까지! ….

(그는 밖으로 뛰어나간다.)

9장

백작, 로진

백작 피가로의 꾀 덕분에 기회가 생겼으니, 잘 이용해야 해요. 오늘 저녁 잠시라도 만날 수 있겠소? 노예나 다름없는 상황에서 구해낼 생각이요.

로진 아! 랭도르!

백작 당신 방 덧창으로 올라가도 되겠소? 오늘 아침 당신한테 받은 편지는, 부득이 ….

로진의 초상(에밀 바야르, 1876).

10장

로진, 바르톨로, 피가로, 백작

바르톨로 내 짐작이 맞았군, 깡그리 부서지고 박살이 났어.

피가로 너무 예민하게 구시니까 이런 사달이 일어나는 겁니다! 계단이 칠흑같이 깜깜하더라고요. (그는 백작에게 열쇠를 보여 준다.) 열쇠를 고리에 걸면서 올라가다가 그만….

바르톨로 조심했어야지! 열쇠를 걸다가 그랬다고! 약아빠진 인간 같으니!

피가로 그럼 좀 더 조심성 있는 사람을 찾아보시든지요.

11장

앞의 배우들, 동 바질

로진 (깜짝 놀라서 방백으로) 바질 선생님! ….

백작 (방백으로) 아이고 맙소사!

피가로 (방백으로) 골치 아프게 생겼는데!

바르톨로 (그 앞으로 나가면서) 아! 바질, 회복된 걸 보니 반갑구려. 병치레 후에 다른 후유증은 없소? 사실 알롱조 선생이 당신 병세에 대해 겁을 좀 주더군. 그에게 물어보시오.

당신 용태를 살피러 집을 나서려는데, 그가 말리는 바람에….

바질 (놀라서) 알롱조 선생이라뇨? ….

피가로 (발을 구르며) 저! 더 손볼 데가 있습니까? 어찌나 수염이 무성한지 무려 두 시간이나…. 정말 손해 막심한 손님이십니다.

바질 (모두를 쳐다보며) 말씀을 좀 해주시면 좋겠는데요?

피가로 제가 물러가고 나서 말씀 나누시지요.

바질 아니 그래도….

백작 선생님, 그만 하셔도 됩니다. 뭔가 바르톨로 씨에게 알려드려야 한다고 생각하시나본데, 제가 말씀드렸습니다. 선생님께서 음악수업을 제게 맡겼다고요.

바질 (더욱 놀라서) 음악수업이라니! …. 알롱조라구!

로진 (바질에게 방백으로) 조용히 하세요!

바질 이 여자까지!

백작 (바르톨로에게 낮은 목소리로) 우리가 마음을 맞췄다고 바질 선생님께 조용히 일러주시지요.

바르톨로 (바질에게 방백으로) 바질, 저자가 당신 제자가 아니라고 부인하려는 건 아니겠지. 그러면 모든 게 엉망진창이 될 거요.

바질 아! 아!

바르톨로 (목소리를 높여서) 사실 말해서, 바질, 당신 제자만한 재능을 가진 이가 없는 것 같소.

바질 (어안이 벙벙해서) 제 제자라고요! …. (낮은 목소리로) 저는 백작이 거처를 옮겼다고 말씀드리러 왔는데요.

바르톨로 (낮은 목소리로) 알고 있으니, 입 좀 다물라고.

바질 (낮은 목소리로) 누가 말해주던가요?

바르톨로 (낮은 목소리로) 물론, 저 사람이지!

백작 (낮은 목소리로) 물론, 저지요. 그냥 들어보세요.

로진 (바질에게 낮은 목소리로) 입 좀 다물라는데 그게 그렇게 어려워요?

피가로 (바질에게 낮은 목소리로) 음! 멍청하기 이를 데 없군! 귀머거리요!

바질 (방백으로) 제기랄, 도대체 누굴 속여 넘기려는 거야? 모두들 내막을 알고 있는 것 같은데!

바르톨로 (큰 소리로) 좋소, 바질, 법률가랑은 어떻게 됐소?

피가로 법률가 얘기는 저녁 내내 하면 되지 않습니까.

바로톨로 (바질에게) 한 마디만 해주시오. 당신 법률가한테 만족하는지만.

바질 (놀라서) 법률가라니요?

백작 (웃으면서) 법률가 안 만나셨어요?

바질 (성급하게) 아니, 보지 못했는데.

백작 (바르톨로에게 방백으로) 바질 선생께서 아가씨 앞에서 구구절절 설명하게 하실 겁니까? 어서 돌려보내시지요.

바르톨로 (낮은 목소리로 백작에게) 당신 말이 맞소. (바질에게) 그나저나 병은 어쩌다 걸리게 된 거요?

바질 (성이 나서) 무슨 말씀이십니까?

백작 (손에 돈주머니를 건넨다. 방백으로) 그러니까, 몸도 성치 않으신데 무슨 일로 오셨는지 묻고 계시네요?

피가로 송장처럼 핏기가 하나도 없네요!

바질 아! 이제야 알겠습니다.

백작 가서 누우셔야겠습니다. 스승님. 안색이 안 좋아 보입니다. 이러다 돌아가실까 겁이 납니다. 가서 누우세요.

피가로 얼굴 맛이 갔구먼! 가서 누우세요.

바르톨로 동구 밖에서도 열감이 느껴지겠소. 가서 누우시오.

로진 그런데 외출은 왜 하신 거예요? 전염성도 있다면서요. 가서 누우세요.

바질 (앞서보다 훨씬 더 놀라서) 나더러 가 누우라고요?

모든 배우들 (합창으로) 두말하면 잔소리죠.

바질 (그들 모두를 쳐다보며) 솔직히, 저는 이만 물러가는 게 좋을 것 같습니다. 제가 있을 자리가 아닌 듯싶군요.

바르톨로 내일 봅시다. 병세가 좀 호전되면 말이오.

백작 스승님! 내일 일찍 찾아뵙겠습니다.

피가로 침대를 따뜻하게 하고 계시라고 조언 드리고 싶군요.

로진 안녕히 가세요. 바질 선생님.

바질 (방백으로) 도통 무슨 소린지. 이 돈주머니만 아니면 ….

모두 안녕히 가십시오, 바질 선생님.

바질 (나가면서) 안녕히 계십시오.

(그들은 웃으면서 그를 배웅한다.)

12장

바질만 제외하고 앞의 배우들

바르톨로 (거드름 피우는 어조로) 저치는 정말로 상태가 안 좋아 보이는데.

로진 눈동자가 풀렸어요.

백작 오한이 들었나 봅니다.

피가로 혼잣말 해대는 거 보셨습니까? 우리에 대한 거겠죠! (바르톨로에게) 이제 마음을 굳히셨습니까?

(그는 백작에게서 멀찌감치 의자를 밀어내고, 그에게 수건을 건넨다.)

백작 마지막으로 부인, 제가 외람되게도 당신께 가르쳐드린 예술의 진보에 대해 한 말씀 드리겠습니다.

(그는 다가와서 그녀의 귓가에 대고 속삭인다.)

바르톨로 (피가로에게) 뭐하는 거요! 내가 못 보게 하려고 일부러 내 앞을 가로막고 서 있는 듯싶은데….

백작 (로진에게 속삭인다.) 덧창 열쇠를 손에 넣었소. 자정에 봅시다.

피가로 (바르톨로의 목에 수건을 둘러주며) 뭘 보시려고요? 무용 수업이면 볼 게 있겠지만, 노래 수업인데요!

바르톨로 무슨 일이요?

피가로 제 눈 속에 뭐가 들어갔나 봅니다.

(그는 자신의 얼굴을 가까이 들이댄다.)

바르톨로 비비지 마시오.

피가로 왼쪽이에요. 후하고 입김 좀 세게 불어주세요.

(바르톨로는 피가로의 머리를 잡고, 아래를 내려다보고, 그를 거칠게 밀어내고는 연인들의 대화를 듣기 위해 그들 뒤로 간다.)

백작 (로진에게 낮은 목소리로) 당신 편지는, 내가 상황이 난처해지는 바람에 여기에 그냥 남아 있기 위해선….

피가로 (멀리서, 경고하기 위해) 음! … 음!

백작 쓸데없이 변장을 해서 미안하오.

바르톨로 (둘 사이를 지나가면서) 쓸데없이 변장!

로진 (겁을 먹고는) 아!

바르톨로 옳거니! 당황할 거 없소. 뭐라고! 내 눈 앞에서,

내 면전에서 감히 나를 이런 식으로 모욕했단 말이지!

백작 무슨 일이십니까?

바르톨로 이런 후안무치한 인간을 봤나, 알롱조!

백작 바르톨로 선생님, 우연히 듣게 되었습니다만, 그렇게 얼토당토않은 생각을 하시는 걸 보니, 아가씨께서 당신 부인이 되는 걸 그토록 질색하시는 것도 무리가 아니라는 생각이 드는군요.

로진 부인이라니요! 내가요! 질투쟁이 영감탱이 곁에서 평생을 썩으라고요, 행복하게 해준다면서 내 청춘을 이 소름 끼치는 감금생활로 몰아넣은 저 사람 곁에서 말이에요.

바르톨로 아! 내가 지금 무슨 말을 듣고 있는 거지!

로진 좋아요, 그럼 큰 소리로 말해 드리죠. 이 끔찍스런 감옥에서, 나와 내 재산을 불법적으로 탈취한 이 감옥에서, 누구든 나를 구해주는 사람한테 마음도 주고 손도 잡겠다고요.

(로진은 나간다.)

13장

바르톨로, 피가로, 백작

바르톨로 울화통이 터져 숨이 턱 막히는군.

백작 사실, 선생님, 쉽지 않은 일이지요, 젊은 처녀가 ….

피가로 그렇습니다. 젊은 처녀 탓이기도 하지만 나이 탓이기도 하죠, 노인네 머릿속을 시끄럽게 하는 건.

바르톨로 뭐라고! 현장을 잡고 말겠어! 빌어먹을 이발사 놈. 나한테서 ….

피가로 저는 물러갑니다. 저자는 제정신이 아닌 듯싶어요.

백작 저도 갑니다. 확실히, 저자는 제정신이 아니야.

피가로 돌았어요, 돌았어.

(그들은 나간다.)

14장

바르톨로 (혼자서, 그들을 쫓아간다.) 내가 돌았다고! 흉악한 놈들 같으니라고! 악마의 끄나풀이 와서 일을 꾸민 거야. 내가 돌았다고! … 여기 이 보면대 보듯 그들을 똑똑히 봤는데 …. 그래놓고 뻔뻔스럽게 내 편인 척한 거군! …. 그래! 아무래도 이 사태를 설명해줄 이는 바질밖에 없을 성싶군. 그래 그를 불러오자. 누굴 보낸담 …. 아! 그래, 내 주변에 아무도 없었지 …. 이웃이건, 행인이건 상관없어.

정신줄을 놓게 되는 데는 다 그만한 이유가 있는 법이라고!

(막간 동안에 극장은 어두워진다. 폭풍우 소리가 들리고, 오케스트라는 『세비야의 이발사』의 노래집 악보에 있는 5번곡을 연주한다.)

제4막

무대는 어둡다.

1장

바르톨로, 바질(손에 등불을 들고 있다.)

바르톨로 바질, 어떻게 그를 모른다는 거요? 가당키나 한 말이오?

바질 백 번을 물어보셔도, 제 대답은 똑같습니다. 그자가 당신한테 로진의 편지를 건넸다면, 그잔 필시 백작의 끄나풀일 겁니다. 하지만 저한테까지 후한 인심을 쓴 것을 보면, 그자가 백작 본인인 것 같기도 하고요.

바르톨로 그럴 수도 있나! 그렇담 그자 돈은 왜 받은 거요?

바질 당신도 동의하신 줄 알았죠. 저는 도무지 뭐가 뭔지 몰랐는데. 좌우간 헷갈릴 때는 돈주머니만큼 확실한 근거도 없으니까요. 그리고 속담에 이르기를, 갖기에 좋은 것이 ….

바르톨로 알겠소. 좋다는 건 ….

바질 간직하기에 말입니다.

바르톨로 (놀라서) 아! 아!

바질 그렇습니다. 몇 가지 속담을 가지고 이러 저리 돌려쓰고 있죠[33] 그건 그렇고, 그나저나 어디까지 해보실 작정입니

33_ 바질은 통용되는 속담 표현을 자신에게 유리하게 바꿔 쓰는 특기를

까?

바르톨로 바질, 당신이 나라면, 로진을 차지하기 위해 마지막으로 뭘 해볼 테요?

바질 저라면 안 하지요, 박사님. 아무리 금은보화가 넘쳐난다 해도, 중요한 건 소유가 아닙니다. 행복하게 즐기는 거지요. 제 생각에 자기를 사랑하지도 않는 여자와 결혼하는 것이야말로 위험을 무릅쓰는 일이지요….

바르톨로 불행한 일이라도 생길까 두려운 거요?

바질 아무렴요! 박사님…. 올해만도 숱하게 그런 꼴을 보았습죠. 저라면 아가씨의 마음을 어거지로 강요하지 않겠습니다.

바르톨로 난 생각이 다르오, 바질. 로진을 놓치고 죽느니 차라리 그녀가 나한테 와서 울고불고하는 걸 보는 게 나을 성싶소.

바질 목숨이 달려 있단 말입니까? 그럼 결혼하셔야죠, 박사님, 결혼하십시오.

• •

보여준다. 보마르셰는 『피가로의 결혼』에서도 이 인물을 출현시키는데, 이때는 백작의 조력자로 기능하며 바르톨로와 편집증적인 언어 시합을 벌이는 피가로와의 대조를 강조한다(피가로는 이 극에서 차용증 속에 적혀 있는 문구 하나를 놓고 바르톨로와 격한 대립을 보인다).

바질의 초상(에밀 바야르, 1876).

바르톨로 그래서 오늘 밤에 해치울 생각이오.

바질 그럼 전 가보겠습니다. 아가씨께 말할 때는, 특히 사태를 지옥불보다 더욱 끔찍한 것으로 부풀리셔야 한다는 것만 기억하십쇼.

바르톨로 맞는 말이요.

바질 중상모략 말입니다. 박사님, 중상모략이요! 뭐니 뭐니 해도 그 방법뿐이지요.

바르톨로 알롱조가 나에게 넘겨준 로진의 편지가 이거요. 그자는 자기도 모르게 이 편지를 그녀한테 어떻게 써먹어야 할지를 가르쳐줬지.

바질 안녕히 계십시오. 여기서 4시에 다시 뵙죠.

바르톨로 왜 좀 더 일찍은 안 되는 거요?

바질 어렵습니다. 공증인한테 다른 건이 예약되어 있다네요.

바르톨로 결혼식 말이요?

바질 그렇습니다. 이발사 피가로의 집에서요. 그자 조카가 결혼을 한답니다.

바르톨로 피가로의 조카라고? 그자한테는 조카가 없는데.

바질 공증인한테 그렇게 말했다는데요.

바르톨로 그 건달 녀석이 또 일을 꾸미는 모양이군, 악마 같은 놈!

바질 그럼 어쩔 셈이신데요?

바르톨로 정말이지, 교활한 족속이야! 이보시게, 나도 이제 가만히 있을 수 없지. 얼른 가서 공증인을 데리고 오시오.

바질 비도 오고 날씨가 고약하기는 합니다만, 그렇다고 박사님을 보필하는 일을 그만둘 수야 없죠. 박사님은 이제 뭘 하시겠습니까?

바르톨로 당신 배웅을 해야지. 피가로 이놈이 내 수하들 수족을 꽁꽁 묶어버렸거든! 지금 여기에 나밖에 없으니 별 수 있소.

바질 저한테 등불이 있습니다.

바르톨로 바질, 여기 여벌 열쇠를 받으시오, 자지 않고 기다리지. 당신과 공증인 말고는 밤에 올 사람도 없으니, 아무 때나 오시오.

바질 이리 만전을 기하시니, 성공은 따 놓은 당상이지요.

2장

로진 (혼자서, 방에서 나오며) 말소리가 들린 듯싶었는데. 자정 종소리도 울렸는데, 랭도르는 왜 이리 안 오는 거지! 이렇게 궂은 날씨가 그에게는 차라리 잘된 일인지도 몰라. 도중에 누굴 만났을 리는 없고…. 아! 랭도르! 당신이 나를 속인 거라면! 무슨 소리지? …. 젠장. 영감탱이군. 도로 들어가야겠다.

3장

로진, 바르톨로

바르톨로 (등불을 들고서) 아! 로진, 아직도 처소에 들지 않은 걸 보니….

로진 막 들어가려던 참이었어요.

바르톨로 날씨가 이렇게 사나우니 당신도 잠들기는 어렵겠지, 당신한테 급히 해둘 말이 있소.

로진 무슨 말씀을 하고 싶으신데요? 낮에 그렇게 괴롭히고도 모자라세요?

바르톨로 로진, 내 말을 들어봐요.

로진 내일 듣도록 하죠.

바르톨로 잠시만, 제발.

로진 (방백으로) 랭도르가 올 텐데!

바르톨로 (그녀에게 그녀가 쓴 편지를 가리키며) 이 편지 알고 있겠지?

로진 (편지를 알아보며) 아니!

바르톨로 로진, 당신을 나무라려는 게 아니오. 당신 나이에는 시행착오도 하는 법이니까. 친구 말이다 생각하고, 내 말 좀 들어주시오.

로진 저도 더 이상은 못 참겠군요.

바르톨로 당신이 알마비바 백작에게 쓴 이 편지는….

로진 (놀라서) 알마비바 백작이라고요!

바르톨로 백작이 얼마나 가증스런 인간인지 이제 알겠지. 그자는 이 편지를 받아 들고는, 승리의 징표로 삼았다더군. 이걸 어떤 여인에게 넘긴 모양인데, 내가 그 여인에게서 얻어낸 거요.

로진 알마비바 백작이라고! ….

바르톨로 이렇게 치떨리는 일을 납득하는 건 쉽지 않은 일일 거요. 로진, 당신은 세상 경험이 없다보니, 이성 문제에 있어 남을 너무 쉽게 믿어버리고 홀랑 넘어가게 된 거요. 하지만 당신이 어떤 함정에 빠졌는지 직시해야 해요. 그 여인은 진상을 알려주면 당신 같은 강력한 연적을 떼어낼 수 있을 거라 생각했는지, 소상히 죄다 알려주더군. 소름이 다 돋더라니까! 알마비바, 피가로, 그리고 자칭 바질의 제자라는 백작의 끄나풀인 알롱조가 작당을 해서 당신을 헤어 나올 길 없는 구렁텅이 속에 빠뜨린 거다 이 말이요.

로진 (어찌할 바를 몰라) 어떻게 이런 끔찍한 일이! …. 뭐라고, 랭도르가! 그 젊은 남자가! ….

바르톨로 (방백으로) 아! 그자가 랭도르군.

로진 알마비바 백작의 하수인이었던 거야, 다른 사람의 ….

바르톨로 편지를 건네면서 나한테 해준 말이 바로 그거였소.

로진 (격분해서) 아! 이런 치욕이! 그자에게 엄벌을 내려야 해요. 저와 결혼하고 싶다고 하셨죠?

바르톨로 내 간절한 마음은 잘 알고 있잖소.

로진 아직도 그 마음 여전하다면, 전 당신 사람이에요.

바르톨로 좋소! 오늘 밤에 공증인이 올 거요.

로진 그게 다가 아니에요. 오, 하늘이시여! 수모도 이런 수모가 없구나! …. 잠시 후면 그 배신자가 이 덧창으로 들어올 거예요. 당신한테서 열쇠를 슬쩍 했거든요.

바르톨로 (열쇠 꾸러미를 바라보면서) 아! 이런 흉악한 놈을 봤나! 우리 아기, 당신 곁을 떠나지 않을 테니 걱정할 거 없소.

로진 (공포에 휩싸여) 그들이 무장을 하고 있으면요?

바르톨로 옳은 지적이오. 내 복수가 불발로 끝날지도 모르니, 마르슬린한테 올라가 있어요. 방문은 단단히 잠그고. 난 도와줄 사람을 찾아서 집 근처에 매복하도록 하겠소. 그자가 도둑으로 체포되면, 우리는 멋지게 복수하고 그자의 마수에서 놓여나는 일석이조의 기쁨을 누리게 될 거요! 사랑으로 보답할 테니 기대해주시오 ….

로진 (절망에 빠져) 제 실수는 잊어주세요. (방백으로) 이만하면 벌은 충분히 받은 거야.

바르톨로 (가면서) 가서 숨어 있습시다. 결국에 그녀는 내 차지가 되겠지.

(그는 나간다.)

4장

로진 (혼자서) 사랑으로 나한테 보답한다고! 나처럼 복 없는 여자가 또 있을까! …. (그녀는 손수건을 꺼내고, 눈물을 주체하지 못한다.) 어떻게 하지? …. 그 사람이 올 텐데. 그 시커먼 속을 잠시라도 들여다보려면 시치미 떼고 가만히 있어야겠지. 그의 비열함을 보면 정나미가 떨어지려나! 아! 뭔가 강력한 해독제가 필요한데. 귀족다운 풍모에, 온화한 표정, 다정한 목소리 … 비열한 엽색가의 끄나풀 모습이었다니. 아! 가엾기도 하지! 가여워라! … 하느님! 덧창이 열리네.

(그녀는 달아난다.)

5장

백작, 피가로 (백작과 망토를 두른 피가로가 창가에 나타난다.)

피가로 (밖에서 말한다.) 누가 달아나고 있는데요, 안으로 들어갈까요?

백작 (밖에서) 남잔가?

피가로 아뇨.

백작 네놈 흉측한 모습에 로진이 달아난 게야.

피가로 (방안으로 폴짝 뛰어 들어간다.) 제 생각에도 그런 것 같습니다…. 이 세찬 빗줄기와 천둥번개를 뚫고 마침내 도착을 했네요.

백작 (긴 망토를 두른 채) 좀 도와줘. (이번에는 그가 넘어 들어온다.) 승리는 우리 것이렷다!

피가로 (망토를 던져버리며) 속까지 흠뻑 젖었어요. 정을 통하기엔 기가 막힌 날씬데요. 나리, 이 밤이 어떠신지요?

백작 사랑에 빠진 남자에게는 황홀하기 이를 데 없는 밤이로구나.

피가로 암요. 하지만 종복한테는 아니지 싶네요…. 누가 우리를 덮치기라도 하면 어쩌죠?

백작 네가 내 곁에 있는데 걱정할 게 뭐냐? 난 다른 게 불안하구나. 로진이 당장 후견인 집에서 나올 엄두를 못 낼까 말이다.

피가로 나리께는 세 가지 패가 있지 않습니까? 미인들을 꼼짝 못 하게 하는. 사랑, 미움, 두려움 말입니다.

백작 (어둠 속에서 바라보며) 로진한테 어떻게 알린담? 공증인이 우리를 맺어주려고 네놈 집에서 기다린단 걸 말이야. 내 계획이 너무 무모하다고 생각하지 않을까. 나를 철면피라고 하지 않겠느냐.

피가로 아가씨가 철면피라고 하면, 나리는 잔인한 여자라고 받아치시면 되지요. 여자들은 잔인한 여자라 불러주는 걸 좋아한다던데요. 그건 그렇고, 나리의 바람대로 아가씨가 나리를 사랑하시게 된 것 같다 싶으시면, 이제 나리가 누구신지 털어놓으셔야 합니다. 더는 나리의 마음을 의심하시지 않게 말이죠.

6장

백작, 로진, 피가로(피가로는 탁자 위에 있는 모든 초에 불을 붙인다.)

백작 로진이 여기 있군. 아름다운 나의 로진! ….

로진 (매우 부자연스러운 어조로) 당신이 안 오시나 싶어 은근히 겁이 나던 참이었어요.

백작 그 조바심이 자못 반갑구려! …. 상황을 이용해서 이 불우한 자와 운명을 함께 하자고 청하는 건 도리가 아니라고 생각했지요. 하지만 당신이 어떤 은신처를 택했건, 내 명예를 걸고 맹세할….

로진 제 마음을 쫓아 제가 손을 내밀지 않았다면, 당신이 지금 이곳에 오실 일은 없었겠죠. 왜 이런 비밀스런 만남이 필요한지 증명해 보이셔야 해요!

백작 로진! 진정 이 불우한 자와 함께 해주는 거요! 재산도 없고 태생도 미천한 나와.

로진 태생이라고요! 재산이라고요! 그깟 것들은 운수소관이라 치부해버릴 수 있어요. 당신의 의도가 순수하다는 믿음만 준다면요….

백작 (무릎을 꿇고) 아! 로진! 당신을 사모하오.

로진 (화가 나서) 그만하세요, 파렴치한 인간! …. 감히 나를 농락해요! … 나를 사모한다고요! …. 가세요! 당신은 이제 나에게 아무 의미도 없어요. 그 말을 듣고 나니 이제 당신을 진심으로 미워할 수 있을 것 같군요. 내가 떠나고 나야 양심의 가책을 느끼실 테지만, 그 전에 한 말씀 드리죠. (눈물을 쏟으며) 내가 당신을 사랑했었다는 것만은 새겨두시라고요. 당신의 가혹한 운명을 함께 하는 것도 나한테는 행복이었을 거라는 것도요. 가엾은 랭도르! 당신을 따라가기 위해 난 모든 걸 버릴 작정이었다고요. 하지만 나의 선의를 이용해먹은 당신의 비열한 소행과,

당신한테서 나를 사들인 가증스런 알마비바 백작의 파렴치함을 증명하는 나의 어리석음의 증거물이 내 손안에 들어왔네요. 이 편지, 모른다고는 안 하시겠죠?

백작 (재빨리) 당신 후견인한테 받은 거요?

로진 (거만하게) 그래요, 그 점에 대해서는 그 사람한테 감사라도 하고픈 심정이에요.

백작 신이시여, 제가 얼마나 행복한 자입니까! 이 편지는 내가 건네준 거요. 어제 궁지에 몰리는 바람에, 그의 신뢰를 얻자니 이걸 써먹을 수밖에 없었소. 그리곤 당신한테 알릴 사이가 없었던 거지. 아, 로진, 당신은 진정으로 날 사랑하는군요! ….

피가로 나리, 있는 모습 그대로의 나리를 사랑하는 여인을 마침내 찾으셨네요.

로진 나리라고요, 저 사람이 뭐라고 하는 거예요?

백작 (자신의 커다란 망토를 벗어던지고, 화려한 복장으로 나타난다.) 오! 내가 세상에서 둘도 없이 사랑하는 여인, 당신에게 이제 모든 걸 밝힐 때가 된 것 같군. 당신 앞에 무릎 꿇은 이 행복한 남자는 랭도르가 아니요. 알마비바 백작이요, 당신을 죽도록 사랑해서 지난 육 개월 간 부질없이 당신을 찾아 헤맸지.

로진 (백작의 품속으로 쓰러지며) 아! ….

백작 (겁을 먹고) 피가로?

피가로 걱정 안 하셔도 됩니다, 나리. 달콤한 환희의 감정은 분노를 오래 품지 않는 법이니까요. 아가씨께서 정신이 드시네요. 아이고, 어찌 이리도 아름다우신지요!

로진 아, 랭도르! … 아, 제가 무슨 짓을 저지른 건가요! 바로 오늘밤 제 후견인한테 저를 주기로 약속해버렸어요.

백작 당신이, 로진!

로진 이게 바로 제가 치를 죗값인가 봐요! 평생 당신을 원망하며 보내겠군요. 아, 랭도르! 그 사람을 사랑하기 위해 태어났다는 걸 알면서도 그 사람을 증오하는 것만큼 가혹한 형벌이 있을까요?

피가로 (창가를 바라보며) 나리, 출입구가 막혔는데요. 누가 사다리를 치운 모양입니다.

백작 누가 치웠다고!

로진 (혼란에 빠져) 네, 제가 치웠어요. … 의사가 그랬어요. 제 어리석음의 소치예요. 그 사람한테 속아서 제가 모든 걸 말해버렸어요, 모두를 배신했어요. 당신이 이곳에 있는 걸 알고 있으니, 경비대와 같이 들이닥칠 거예요.

피가로 (다시 쳐다보며) 나리! 입구문은 열려 있습니다.

로진 (두려움으로 백작의 품으로 뛰어들며) 아, 랭도르! ….

백작 (의연하게) 로진, 날 진정으로 사랑하는구려! 나는 누구도

두렵지 않소! 내 아내가 되어주시오. 그럼 난 내 식대로 그 악독한 늙은이를 응징할 테니!

로진 아니, 그러지 마시고 그를 용서해주세요, 랭도르! 이토록 가슴이 벅차오르는데 복수심 따위는 개나 물어가라 하세요.

7장

공증인, 동 바질, 앞장의 배우들

피가로 나리, 공증인이 왔습니다.

백작 그와 함께 친구 바질도 왔군!

바질 아! 이건 또 무슨 광경이지?

피가로 어떤 우연으로 우리 친구분께서…?

바질 어떤 사건 때문이지요.

공증인 이 분들이 신랑 신부인가요?

백작 그렇소, 선생. 당신은 오늘 저녁 이발사 피가로의 집에서 시뇨라 로진과 나의 결혼을 지켜보러 온 거요. 그런데 당신도 보다시피 이 집이 더 좋아 보이는군. 결혼계약서는 가지고 왔소?

공증인 제가 지금 영광되게도 존귀하신 알마비바 백작님께

아뢰고 있는 겁니까?

피가로 바로 그렇소.

바질 (방백으로) 이것 때문에 의사가 여벌 열쇠를 준 건가….

공증인 두 장의 결혼계약서를 가지고 왔습죠, 나리. 헷갈리면 안 되는데. 여기 나리 것도 있고, 세뇨르 바르톨로와 시뇨라… 로진의 것도 있습니다. 아가씨들은 이름이 같은 자매들인가 보군요.

백작 여하간 서명을 합시다. 바질 선생이 두 번째 증인이 되어주시겠소.

(그들은 서명을 한다.)

바질 그런데, 나리 … 저는 뭐가 어떻게 돌아가는지 도통 이해가 안 돼서 ….

백작 바질 선생, 당신이 난처해질 일은 없소이다. 이 모든 게 어리둥절하긴 하겠지만.

바질 나리 … 하지만 의사가 만일 ….

백작 (그에게 돈 꾸러미를 던지며) 유치하게 굴 거요? 어서 서명하시오.

바질 (놀라서) 아! 아!

피가로 서명하는 데 뭐 어려운 거라도 있습니까?

바질 (돈 꾸러미의 무게를 가늠해 보며) 그럴 리가요. 그래도 약속은 약속인지라, 약속을 깨려면 확실한 명분이 있어야 하지 않겠습니까 ….

(그는 서명한다.)[34]

8장

바르톨로, 치안판사, 경관들, 횃불을 들고 있는 하인들, 앞 장면의 배우들

바르톨로 (백작이 로진의 손에 입을 맞추는 것을 보고, 또 피가로가 동바질을 우스꽝스럽게 끌어안는 것을 보고는 공증인의 멱살을 잡으며) 로진이 이런 불한당들과 같이 있다니! 모두 체포하시오. 한 명은 내 손으로 직접 하지.

공증인 난 선생의 공증인이올시다.

바질 이 분은 당신의 공증인입니다. 장난하십니까?

바르톨로 아! 바질 선생! 당신이 왜 이곳에 있는 거요?

바질 그러는 당신은 왜 이곳에 안 계셨던 겁니까?

치안판사 (피가로를 가리키며) 잠깐, 저자는 나도 아는 사람인 듯싶은데. 이런 야심한 시각에 이 집에는 어쩐 일이요?

34_ 로진과 백작의 결혼은 이로써 법률적으로 인정을 받게 된다. 무대에서 매우 신속하게 실행되는 이 제스처로 인해 다음에 이어지는 대사가 이해가 된다.

피가로 야심한 시각이라굽쇼? 밤이라기보다는 차라리 아침에 가까운 시간인데요? 게다가 전 여기 존귀하신 알마비바 백작님의 수행원입니다.

바르톨로 알마비바라구?

치안판사 그럼 이자들은 도둑이 아니지 않소?

바르톨로 그만하시지요. 백작님, 어디서건 제가 존귀하신 백작님의 종복인 건 맞습니다만 여기서 만큼은 고귀한 혈통도 소용없다는 것을 아시지 않습니까. 부디 아량을 베풀어, 물러가주셨으면 합니다.

백작 물론, 여기서 혈통이니 뭐니가 무슨 소용이겠소. 중요한 건, 아가씨가 당신이 아니라 나한테 애정을 허락하고 나와 결혼하기로 했다는 사실이지.

바르톨로 백작이 무슨 말을 하는 거요, 로진?

로진 이분 말이 사실이에요. 왜 그렇게 놀라시죠? 오늘밤 이미 난 날 속인 사기꾼한테 복수를 당하지 않았나요? 난 이분 의견에 따를 생각이에요.

바질 그자가 백작 본인이라고 내가 말하지 않았습니까?

바르톨로 그래서 뭐? 뭐 이런 괴상망측한 결혼이 다 있어! 그럼 증인들은 어디 있소?

공증인 준비는 차질 없이 끝났습니다. 이 두 신사분이 도와준 덕분에.

바르톨로 뭐라고, 바질? 당신도 서명한 거요?

바질 나더러 어쩌라고요? 저 마귀 같은 인간이 언제나 꼼짝 못 하게 돈주머니를 들이미는데요.

바르톨로 그러거나 말거나, 난 내 권리를 행사할 거요.

백작 그걸 남용한 바람에 당신은 당신 권리를 잃게 된 거라고.

바르톨로 로진은 미성년자입니다.

피가로 이제 막 벗어난 걸로 아는데요.[35]

바르톨로 이런 천하에 못된 놈, 그 얘기는 어디서 들었지?

백작 아가씨는 귀족가문 출신에 아름답기 그지없고, 나 또한 귀족에다가 젊고, 부자지. 이제 그녀는 내 아내요. 우리 두 사람 모두에게 영예로운 호칭이지. 그런 그녀를 두고 나랑 한번 겨뤄보겠다 이거요?

바르톨로 누구도 내 손아귀에서 로진을 빼앗아가지는 못합니다.

백작 로진은 더 이상 당신 수중에 있지 않아. 내가 법의 권위 아래에서 그녀를 보호할 거요. 그리고 당신이 모셔온 여기 이 신사가 당신의 폭력에서 로진을 보호해줄 거기도 하고. 진정한 법관들은 억압받는 자들의 편이거든.

35_ 결혼을 통해 후견인의 보호에서 벗어났다는 의미.

치안판사 물론이지요. 이 영예롭기 이를 데 없는 결혼에 쓸데없이 어깃장을 놓는 것으로 보아, 저자는 피후견인의 재산 관리 실책에 따른 불안감이 자못 극심한가 봅니다. 그 부분은 추후에 저자가 해명하도록 하겠습니다.

백작 아! 순순히 동의하기만 하면, 저자에게 아무것도 요구하지 않을 셈이네.

피가로 제 백 에퀴짜리 영수증은 빼고요, 셈은 확실히 해야지요.

바르톨로 (분노에 차서) 모두들 나한테서 등을 돌렸구나. 수렁에 빠진 게야.

바질 무슨 수렁 말씀인가요? 여자를 갖지 못하게 된 거요, 잘 따져 보세요, 박사님, 당신한테는 돈이 남아 있지 않습니까, 그리고 ….

바르톨로 잠시 숨 좀 돌립시다, 바질! 당신은 오로지 돈 돈 생각뿐이군. 물론 나도 돈 생각을 안 하는 사람은 아니네만. 하긴 그나마 천만다행이긴 하지, 돈은 지키게 됐으니까. 그렇다고 그 이유 때문에 내가 결심을 굳혔다고 생각하진 마시오.

(그는 서명을 한다.)[36]

• •

36_ 바르톨로는 이때 로진의 해방과 재산 착복에 동의하는 서명을

피가로 (웃으면서) 하하하! 나리, 저들이야말로 유유상종이네요.

공증인 그런데, 나리님들, 저는 도무지 이해가 안 가는데요. 이름이 같은 아가씨가 두 명인가요?

피가로 아닙니다. 한 사람입니다.

바르톨로 (비탄에 잠겨서) 사다리를 치우는 게 아니었는데. 되레 결혼식 자리를 깔아준 꼴이 됐잖아. 아! 주의가 부족해서 내가 당한 거야.

피가로 양식이 부족해서지요. 사태를 직시하자고요, 박사님. 젊음과 사랑이 노인네를 속이자고 합심을 했는데, 그걸 막기 위해 뭘 하는 거야말로, 소위 말하는 '부질없는 경계' 아니겠습니까.

••

하는 것이다. 보마르셰의 초고들 중 하나에는 백작의 대사, "아! 순순히 동의하기만 하면, 저자에게 아무것도 요구하지 않을 셈이네." 뒤에 바르톨로에게 보다 섬세함과 무게감을 더해주는 다음과 같은 대사가 덧붙여져 있다. "백작님, 당신이 꾸민 연극의 결말로 나를 조롱하려는 겁니까? 그래서 아가씨들을 유괴하러 와서는 그 후견인들에게 재산을 넘겨주기만 하면 된다는 겁니까? 우리야말로 무대 위에 있는 것 같군요."

작가 및 작품 해설

보마르셰의 생애

프랑스 극작가 보마르셰Beaumarchais는 여타의 작가들과는 다른 삶의 궤적을 그려낸 인물이다. 시계 제조 장인에서 음악선생으로, 사업가로, 왕실의 비밀요원으로, 출판업자로, 로비스트로, 무기거래상으로, 혁명파 위원으로, 변신에 변신을 거듭한 그의 삶의 이력은 18세기 격동기의 프랑스 역사의 질곡을 고스란히 담아낸다. 그 어떤 연극 혹은 소설 속 주인공도 그만큼 파란만장하고 천변만화한 생애를 살아낸 인물은 없을 것이다. 따라서 그의 분신이자 아들이라 칭할 만한 '피가로'를 보다 잘 이해하기 위해서, 그리고 그가 살아낸 혁명기의 프랑스를 이해하기 위해서는 먼저 보마르셰의 일생을 추적해 보는 일이 선행되어야 할 듯 보인다.

보마르셰의 초상화(장-마르크 나티에, 1755).

피에르-오귀스탱 카롱, 미래의 보마르셰는 1732년 1월 24일 파리의 생-드니 거리에서 시계 제조 장인인 앙드레-샤를르 카롱과 마리-루이즈 피숑 부부의 열 명의 아이들 중 일곱 번째로 태어났다. 네 명의 형제들이 일찍이 사망하여

다섯 명의 누이들과 아들로는 피에르-오귀스탱만이 남게 되었다. 유복한 유년시절을 보낸 피에르-오귀스탱은 얼마간 달포르의 직업학교에서 수련하다가 아버지의 공방에 들어가 견습공으로 시계 제조 기술을 연마한다. 아버지로부터 배운 기술을 바탕으로 보마르셰는 시계추 운동을 제어하는 일명 '탈진기'를 발명하는 놀라운 재능을 보여준다. 그러나 왕실 시계 납품업자 르포트Lepaute가 이를 자신의 이름으로 <메르큐르Mercure>지에 발표하자, 화가 난 보마르셰는 자신이 작업했던 스케치들을 모아 과학아카데미에 보내는 한편, <메르큐르>지에 항의 서한을 보내는 등 자신의 권리를 되찾기 위해 백방의 노력을 기울인다. 지난한 투쟁 끝에 마침내 그는 과학아카데미로부터 발명가로서의 권한을 인정받게 된다. 평민 신분인 피에르-오귀스탱이 자신의 재능과 실력을 세상으로부터 인정받고자 하는 욕망은 이때부터 시작된 듯 보인다. 이 사건을 계기로 명성을 얻은 그는 루이 15세의 정부인 퐁파두르 후작부인에게 반지 시계를 만들어 진상하면서 자연스럽게 왕실과 인연을 맺게 된다.

그의 집안은 문학과 예술에 조예가 깊었다. 그의 아버지는 신작 공연을 관람한 후엔 작품의 장단점을 면밀하게 분석하고 비평할 정도로 연극에 대한 풍부한 식견과 소양을 지니고 있었고, 누이들 역시 시를 짓고 하프나 첼로 등 한 가지 이상의 악기를 연주할 정도로 시와 음악에 대한 관심이 남달랐다. 악기 연주는 보마르셰도 누이들에 뒤지지 않아 비올라와 플룻에 놀라운 소질을 보여주었다. 당대 유행하는 곡의 연주뿐 아니라, 즉석에서 소절을 만들어 내고 그 위에다 멜로디를 입히는 작곡에도 능했으며, 하프의 페달 장치를 고안해 내는 창의성을 보이기도 했다. 연주와 작곡, 장치 발명에 이르기까지 그의 비범한 재능은 그가 왕실에 입성하여 출세하는 데 훌륭한 발판을 마련해준다.

1756년 그는 자신에게 왕실 부속 서기감사관 직을 팔았던 프랑케의 부인 마들렌-카트린과 교분을 맺게 되는데, 프랑케가 죽자 스물네 살의 나이에 열 살 연상의 마들렌과 결혼한다. 결혼 후, 그는 부인이 물려받은 영지의 지명을 따서 자신의 이름에다 '드 보마르셰'를 덧붙이면서, 스스로에게 귀족 칭호를 부여한다. 그러나 결혼 이듬해 마들렌이 유서를 공증하기도 전에 갑작스런 열병으로 사망하자, 유산 상속을 목적으로 부인을 독살했다는 소문이 항간에 퍼지고 유족들과의 소송에 휘말리면서 보마르셰는 괴로운 시간을 보낸다. 하지만 고초의 시간도 잠시 보마르셰는 루이 15세의 공주들의 호의에 힘입어 왕실의 음악선생 겸 집사로 임명되면서 권력층에 바짝 다가서게 된다. 보마르셰가 본격적으로 출세를 향한 야망에 눈뜨게 된 것은, 상류사회의 현실과 생활상을 목격하게 된 이때부터

인 것처럼 보인다. 왕실 입성 후 친분을 맺은 은행가 파리-뒤베르네를 통해 보마르셰는 사업의 세계에 발을 들여놓는다. 파리-뒤베르네의 조언에 따라 스페인을 오가며 활약을 펼친 보마르셰는 몇 해 지나지 않아 상당한 재산을 축적한다. 남다른 수완으로 어느 정도 부를 이루자 이번에는 관직에 대한 욕망이 그 안에서 꿈틀댄다. 그는 열렬히 바라마지 않던 왕실의 물과 산림 관리 책임자 자리를 놓치자 한 단계 낮은 행정관직으로 방향을 돌려 결국에는 루브르궁의 수렵 보좌관 직을 따내면서 명실상부 귀족 신분을 꿰차게 된다. 마침내 부르주아에서 귀족으로 신분상승의 소원을 이룬 것이다.

보마르셰가 연극계에 입문하게 된 것은 샤를 레노르망 데티올 백작의 저택에서 개최되는 연회를 위한 몇 편의 소품들을 집필하면서부터이다. 1760년에서 1763년 사이에 제작된 이 소품들은 당대 유행하는 사실주의적인 희극들과 장터에서 공연되는 퍼레이드 장르(장터 축제의 일종으로 가장행렬과 변장, 발 구르기 등으로 이루어진 스펙터클)에 속하는 것이었다. 문학 창작에 뛰어들면서, 보마르셰는 프랑스를 비롯한 이웃 나라의 고전작가들의 작품들을 본격적으로 탐독하고 연구하며 문학과 연극에 대한 예술적 안목을 키운다. 그러던 중 그는 루이지애나와의 무역거래 독점권을 따내기 위해, 그리고 파혼당한 누이동생의 일을 해결하기 위해 방문한 스페인에서 그곳의 연극을 체험하게 된다. 격식과 관습에 얽매이지 않은 자유분방한 연극, 활기차고 흥에 넘치는 열정적인 드라마에 매료된다. 프랑스로 돌아온 보마르셰는 스페인 연극에서 영감을 얻어 두 편의 부르주아 드라마, 『외제니*Eugénie*』(1767)와 『두 친구 혹은 리용의 상인*Les Deux Amis ou Le Négociant de Lyon*』(1770)을 발표한다. 그러나 두 편 모두 이렇다 할 성공을 거두지는 못한다. 이 시기에 보마르셰는 부유한 과부인 레베크 부인과 결혼하여 첫 아들을 얻는다.

이후 보마르셰는 끊이지 않는 소송으로 인해 시련과 고초의 세월을 보낸다. 사태는 파리-뒤베르네의 사망 후, 보마르셰가 그의 계좌 거래를 중지시킨 데서 촉발된다. 그의 주장에 따르면, 뒤베르네가 자신에게 만오천 프랑의 채무가 있기 때문이라는 것인데, 상속자인 블라쉬 백작이 채무변제를 거부하고 무이자로 기재된 차용증을 의심하여 그를 공문서 위조 혐의로 고발한 것이다. 소송은 7년에 걸쳐 진행되다가 첫 판결에서 기각된다. 재판에서는 승소했지만 사교계에서 보마르셰에 대한 평판은 최악으로 치닫는다. 이후 계속된 재판에서 차용증이 위조된 것으로 밝혀지면서 보마르셰는 블라슈 백작에게 오만육천 프랑과 소송비용을 갚아주라는 판결을 받는다. 이 사이에 보마르셰는 결혼한 지 3년 만에 또다시 아내와 아들을 연달아 잃는 불행을 겪는다. 소송의 회오리는 여기서 끝나지 않는다. 숀느 공작이 질투심으로 자신의 정부인 메나르 양을 위협하고 협박하는 것을 목격한 보마르셰가 메나르 양을 위해 소송에 가세한 것이다. 승소를 위해 판사인 괴즈망을 매수할 요량으로 그의 부인에게 백 루이와 다이아몬드 시계를 뇌물로 제공하였다가 괴즈망과의 만남이 불발되자 보마르셰는 뇌물 회수를 요구한다. 이 과정에서 괴즈망 부인의 실수로 회수물이 일부 누락되자, 보마르셰는 괴즈망을 상대로 소송을 제기한다. 그러나 소송을 제기한 보마르셰는 되레 뇌물공여죄를 선고받아 감옥행을 면치 못하게 된다.

소송에서의 패배로 시민권을 박탈당하는 시련을 겪기는 했으나 왕실의 신망까지 잃은 것은 아니었다. 왕실은 보마르셰에게 루이 15세의 정부인 뒤 바리 부인을 풍자하는 팜플릿을 모두 수거해오라는 특명을 내리고 보마르셰는 밀정 신분으로 런던에서 왕명을 수행한다. 이로써 보마르셰는 왕실의 비밀요원이라는 특수한 직업의 세계에 진입하게 된다. 이어 수 년 동안 이름을 바꿔가며 여러 나라에서 프랑스의 국익을 위한 정치활동을 이어간다. 그러는 가운데 뉘렌베르크에서는 강도들의 습격을 당하기도 하고, 비엔나에서는 오스트리아 여왕에 의해 스파이 혐의로 감옥에 투옥되는 등 갖은 수난을 겪는다. 프랑스 왕실의 개입으로 오스트리아 감옥에서 석방되고 그간의 충성스런 임무수행에 대한 성과를 인정받으면서 보마르셰는 1776년 시민권을 회복한다. 이와 같은 거듭된 송사와 투옥의 와중에도 보마르셰는 손에서 펜을 놓지 않았다. 그는 1775년 다시 전형적인 희극 장르에 속하는 『세비야의 이발사』를 집필하고 공연을 진행한다.

해외에서의 두드러진 활약으로 왕실에서의 입지가 더욱 공고해진 보마르셰는 이번에는 미국의 독립전쟁에 개입한다. 영국을 견제하기 위해 미국의 독립을 지지하기로 한 프랑스 정부가 미국 식민지군들의 봉기를 지원하는 원조와 관련한 임무를 그에게 맡긴 것이다. 보마르셰는 외무장관으로부터 100만 리브르를 받아내 미국 독립 운동가들을 재정적으로 지원하는 한편, 로드리그 오르탈레즈로 개명하여 개인 자격으로 무역사무소를 개설하고, 무기 밀매 사업을 통해 막대한 재산을 벌어들인다. 1778년에는 프랑스와 영국 간에 전쟁이 발발하자 개인 자산을 털어 함대를 창설하고 식민지군을 돕기도 한다.

한편, 왕성한 정치 활동의 와중에도 보마르셰는 연극계 인사로서의 소명도 잊지 않았다. 공연을 거듭하면서 배우들의 횡포에 지치고, 마구잡이 표절이 난무하여 작가들의 창작의 권리가 제대로 인정받지 못하자, 보마르셰는 『세비야의 이발사』 초연 2년 뒤, 1777년 23명의 작가들과 연대하여 작가협회를 창설한다. 프랑스에서 최초로 작가들의 창작에 대한 권리와 저작권 보호를 위한 투쟁운동이 시작된 것이다. 당시 연극계는 배우들 중심으로 여건이 형성되어 있었다. 극작가들은 흥행수입의 9분의 1정도만 보장받았고, 기준 이하의 관객이 들면 배우들이 수입을 독식하다시피 했다. 힘들게 작품을 발표해도 곧바로 이웃 극장에서 비슷한 내용의 작품을 올려 작품의 독점적 소유권을 확보하기가 어려웠다. 극작가협회는 수 년 간의 노력 끝에 1791년 입헌의회 치하에서 작가들의 문학적 권리와 상속권을 인정받는 쾌거를 거둔다. 이와 병행하여 1780년 보마르셰는 전체 70여 편에 달하는 볼테르의 전집 간행에 뛰어든다. 이 기획은 당시로서는 매우 위험천만한 모험이었는데, 볼테르의 저작 중 절반 가까이가 프랑스에서 금서로 지정되어 있어 출판은 투옥의 위험도 무릅써야 했기 때문이다. 계몽주의 사상을 널리 전파한다는 사명감으로 3년간 막대한 금액을 투자했으나 구매예약은 신통치 않았고 이로 인해 보마르셰는 적지 않은 금전적 손실을 입게 된다. 1784년 검열과의 끈질긴 드잡이 끝에 그는 『피가로의 결혼』의 공연을 성황리에 마친다.

프랑스 혁명 직전 그에 대한 평판은 거의 바닥이었다. 끊이지 않은 송사와 바스티유 근처에 지은 그의 호화로운 저택이 구설수에 오르면서 그를 향한 세간의 시선은 차갑게 얼어붙는다. 혁명이 발발하자 중도 혁명파의 입장에 섰던 보마르셰는 블랑-망토 구역을 담당하여 혁명에 적극적으로 가담한다. 그러나 보마르셰의 막대한 재산과 사치스런 생활이 혁명가들의 눈에 매우 의심스러운 것으로 비춰지면서 혁명 수뇌부는 그를 의회 구성에서 배제시켜버린다. 1792년 보마르셰는 다시 드라마 장르로 회귀하여 <피가로 3부작>의 마지막 작품인 『죄지은 어머니』를 발표하였으나 이렇다 할 반응을 얻지 못한다.

한편, 이 시기에 무기가 필요했던 프랑스 정부는 보마르셰에게 다시 도움을 요청한다. 금전적으로나 정치적으로 손해 볼 것 없는 장사라고 생각한 그는 네덜란드에 적재되어 있는 6만여 점의 총기 구입을 추진한다. 그러나 네덜란드 정부가 오스트리아와의 갈등이 불거질까 두려워 주저하다 결국에는 총기들을 오스트리아에 팔아버리자 선수금까지 건넨 보마르셰는 난감한 상황에 봉착한다. 여기에다 보마르셰가 무기를 들여놓고 혁명분자들을 총살할 목적으로 자신의 저택에 쌓아두고 있다는 소문까지 파다하게 퍼지면서 보마르셰의 입지는 더욱 위태로워진다. 급기야 혁명군들이 그의 저택을 급습하고 보마르셰를 체포한다. 얼마간의 복역 후 석방된 보마르셰는 정부의 허가를 얻어 독일 함부르크로 출국한다. 그러나 거기서 또다시 자신이 루이 16세와의 공모, 비밀편지 왕래, 횡령이라는 죄목으로 혁명의회로부터 고발당했다는 사실을 알게 된다. 체포 위협에 시달리다 런던으로 떠난 그는 네덜란드 총기 사건에 대한 반박문 작성에 총력을 기울인다. 그가 총기를 되찾기 위해 백방으로 노력하는 동안 공안위원회는 그를 망명귀족 명부에 이름을 올리고 재산을 압류하고 가족들까지 투옥시킨다. 지난한 시간을 보내고 1796년 예순네 살이 되어서야 프랑스에 돌아온 보마르셰는 딸이 되찾은 저택에서 평온한 세월을 보내다 1799년에 뇌일혈로 사망한다.

보마르셰는 두 가지 모순되는 성향을 품고 있는 인물이다. 하나는 신분의 한계에서 오는 사회적 출세와 부에 대한 동경과 갈망이 그것이고 다른 하나는 사회의 부조리와 불평등에 대한 저항이 그것이다. 자신이 속하지 못한 상류사회에 대한 선망과 동경은 부단히 관직을 사들이고, 스스로에게 귀족칭호를 부여하는 제스처로 표출되었고, 사회의 불의와 병폐에 대한 예민한 의식은 부도덕한 귀족을 상대로 소송을 진행하고, 작가들의 권리 수호를 위해 작가협회를 창설하고, 프랑스 혁명파에 가담하는 행동으로 발현되었다. 그의 부단한 출세욕의 이면에는 18세기 후반 프랑스 사회가 안고 있는 갖가지 폐단들에 대한 뼈저린 인식이 자리하고 있는 것이다. 양극단에 있는 듯 보이는 이 두 가지 성향은 그를 개인적 이익에 따라 시류에 편승하는 기회주의자로, 또 구체제와 혁명파 양쪽에 발을 담근 회색분자로 비춰지게 하면서, 주변에 숱한 정적들과 경쟁자들을 만들고, 끝없이 소송에 휘말리고 감옥을 들락날락하게 하며 그의 삶을 파란과 격랑 속으로 몰아넣었다. 어찌 보면 카멜레온과 같은 그의 변신의 행보는 격변하는 프랑스 사회 속에서 살아남기 위한 몸부림이고, 혁명기를 선후한 프랑스 사회의 한 단면을 고스란히 보여주는 프리즘이라고 볼 수 있다.

보마르셰와 〈피가로 3부작〉

보마르셰는 평생에 걸쳐 총 11편의 작품을 남겼다. 퍼레이드 용 대본 5편, 희극 2편, 드라마 장르에 속하는 희곡 3편이 그것이다. 다사다난한 사건의 소용돌이 속에서 아마추어 작가라는 평가도 감내해야 했던 그가 프랑스 연극계의 총아로 떠오르게 된 것은 <피가로 3부작>을 통해서이다. 피가로를 주인공으로 하는 이 3부작은 『세비야의 이발사』(1775)와 『피가로의 결혼』(1784), 『죄지은 어머니』(1792)로 구성된다. 이들 작품은 알마비바 백작 가문의 25년에 걸친 변전의 역사를 그려내며, 가문의 구성원들의 결혼을 중심으로 한 오해와 갈등을 주된 테마로 다룬다. 『세비야의 이발사』에서는 알마비바 백작과 로진의 결혼, 『피가로의 결혼』에서는 하인계급인 피가로와 쉬잔의 결혼, 그리고 『죄지은 어머니』에서는 백작 부부가 각각 외도를 통해 낳은 자녀인 레옹과 플로레스틴의 결혼이 그것이다. 『세비야의 이발사』에서는 피가로의 도움으로 후견인 바르톨로의 방해공작을 물리치고 알마비바 백작과 로진이 결혼에 성공하기까지의 과정이 그려지고, 『피가로의 결혼』에서는 결혼 후 부인(로진)에게 싫증이 난 알마비바 백작이 피가로의 약혼녀인 쉬잔을 유혹하려 하나 부인과 쉬잔이 힘을 모아 백작의 의도를 무산시키고 피가로와 쉬잔의 결혼이 무사히 진행된다는 내용이 전개된다. 마지막 『죄지은 어머니』에서는 백작의 집안에 들어와 재산을 가로채고 백작의 대녀인 플로레스틴(실제로는 외도를 통해 낳은 딸)과 결혼하려는 베제아르스의 사기행각과 백작부인이 (셰뤼뱅과의) 외도로 낳은 레옹과 플로레스틴의 사랑이야기가 다루어진다. 이 세 작품은 연작 형식이기는 하지만, 내적인 구조나 분위기, 장르에 있어 사뭇 다른 양상을 보여준다. 『세비야의 이발사』가 애초에 노래와 음악이 삽입된 희가극 장르로 출발했던 만큼(보마르셰는 처음에 작품을 희가극으로 집필했는데 코메디 프랑세즈 극장으로부터 거절당하자 희극으로 장르를 바꾸었다), 음악극적인 요소가 농후하며 구조적으로는 이탈리아의 전통극 '코메디아 델라르테'의 양식을 그대로 답습하여 단순한 플롯 구조에, 가볍고 흥겨운 희극의 측면이 두드러진다면, 『피가로의 결혼』은 반전에 반전이 거듭되는 복잡한 구조에 사회정치적인 함의를 띤 몰리에르식의 장대한 스케일을 추구하고, 보마르셰의 유작이기도 한 『죄지은 어머니』는 다분히 최루성 짙은 통속적인 내용에 진지함과 희극성이 뒤섞인 드라마 장르를 표방하며 앞의 두 작품과 그 분위기에 있어서 확연히 다른 면모를 보인다. 이러한 이질성에도 불구하고, 혁명 전후의 프랑스 사회의 곳곳의 모순과 부조리를 고발하는 예리함을 보여주고 있다는 점에서 프랑스 혁명 정신을 충실히 재현한 작품들이라 볼 수 있다.

『세비야의 이발사』의 구조와 주요 등장인물들

작가 자신에 의해 여러 번의 개작을 거친 현재의 『세비야의 이발사』의 최종본은 4막 구조에 총 44개의 장으로 구성되어 있다. 1막에 6장, 2막에 16장, 3막에 14장, 4막에 8장이 배치되어 있는데, 전반적으로 보마르셰의 작품들은 동시대 다른 작품들에 비해 한 막당 다소 많은 장들이 포함되어 있다고 볼 수 있다. 이러한 장의 다수성은 압축력 있는 빠른 진행으로 희극성을 극대화한다.

『세비야의 이발사』가 프랑스 17세기 고전주의 작품들과 차별화되는 점은 무엇보다 사실주의적인 묘사를 지향했다는 점이다. 고전주의가 등장인물의 심리나 신체적 여건에 무심했다면, 보마르셰는 매우 꼼꼼하게 인물들을 묘사하고 그들의 심리를 그려낸다. 무대지시를 통해, 인물들의 성격과 의상,

외관에 대해 상세하게 지시하고, 배우들의 연기에 대한 주의 사항도 잊지 않는다. 그리하여 그의 인물들은 뚜렷한 입체적인 초상을 보여준다.

먼저 주인공인 피가로를 살펴보자. '피가로'라는 이름의 유래에는 두 가지 정도의 설이 존재한다. 하나는 스페인어 피카로picaro에서 따왔다고 보는 것인데, 피카로는 미천한 집안 출신으로 갖은 협잡으로 삶을 영위하는 모험가를 일컫는다. 또 하나는 보마르셰의 본명인 카롱의 아들 즉 '피스 카롱fils Caron'이 축약되어 피가로Figaro가 되었다는 것이다. 첫 번째 설은 피가로의 재치 넘치는 전략가의 측면을 강조한다면, 두 번째 설은, 피가로를 작가의 아들, 작가의 분신으로 보는 입장에 설득력을 실어준다. 실제로 작품 속에 언급되는 피가로의 인생 역정은 작가의 파란만장한 굴곡진 삶과 자못 닮아 있다. 보마르셰가 시계 제조 장인에서 왕실의 음악선생으로, 희곡작가 겸 공연기획자, 무기거래상, 왕실의 밀정, 혁명파 위원 등의 다양한 인생의 발자취를 걸어온 것처럼, 피가로 또한 귀족 집안의 하인에서 말 담당 수의사로, 희곡작가로, 이발사 겸 외과의사, 약제사로 변신의 행로를 보여주기 때문이다.

극 속에서 알마비바 백작의 하인 피가로의 역할은 무엇보다 백작의 결혼 성사를 위한 조력자이다. 로진에게 반한 백작이 그의 애정 추구에 최대한 걸림돌인 후견인 바르톨로라는 장애물을 걷어내는 데 도움을 주는 인물이다. 그러나 피가로는 단순한 하인 조력자로 그치지 않는다. 그는 의술이라는 과학 지식과 이발사라는 전문기술, 그리고 희곡작가라는 문학적 지성을 겸비한 만능재주꾼으로 중매쟁이이고, 연출가이고, 전략가이다. 그는 재치와 지략을 이용해서 복잡하게 엉켜서 꼬인 일들을 풀어내고, 난관에 봉착한 일들에 해결책을 제시하고, 어둠 속에 숨어 있다가 홀연히 나타나서 궁지를 모면할 수 있는 열쇠를 제공한다.

보통 고전극에서 남자 주인공과 여자 주인공에게 각기 하인이 따로 존재하여 그들의 사랑에 조력자 혹은 방해자 역할을 하는 것이 일반적이라면, 피가로는 남자 주인공과 여자 주인공의 하인 역할을 동시에 수행하며 그들의 사랑에 오작교가 되어준다. 그는 백작이 로진에게 처음 접근할 때, 기타를 건네며 노래로 그녀의 마음을 얻어 보라고 조언하기도 하고, 로진에게는 백작에 대한 호기심을 자극하고, 미사여구를 늘어놓으며 백작에게 편지를 보내 그녀의 입장을 전달할 것을 제안하기도 한다. 그는 백작이 바르톨로의 집에 들어가 로진과 만날 수 있는 기회를 가질 수 있도록 두 번의 변장을 제안한다. 첫 번째는 술 취한 군인으로 변장하여, 바르톨로에게 유숙 허가를 받을 것을 제안하고, 이것이 실패하자, 음악선생 바질을 대신해 그의 제자로 변장하여 바르톨로의 신임을 얻도록 한다. 요컨대, 조금 과장해서 말하자면 피가로가 자신이 쓴 대본을 진두지휘하는 연출가라면, 백작은 피가로의 연출에 복무하는 배우일 뿐이다.

그런데, 피가로의 주인에 대한 충심어린 섬김의 바탕에는 자신이 모시던 옛 주인에 대한 의리와 보은의 심정도 있지만, 금전에 대한 지대한 관심도 자리한다. 그래서 그는 백작에게 바르톨로의 집을 방문할 때 사례금을 두둑이 챙겨오라고 노골적으로 요구하고, 앞으로 매사를 그것에 기준해서 판단해 달라고 당부하기도 한다. ("제게 중요한 건 단 하나, 쩐이지요. 쩐이 저에 대한 모든 걸 주인님께 답해줄 겁니다. 만사에 그 잣대를 사용하시면 됩니다.") 금전과 이익 추구에 대한 관심은 후속작인 『피가로의 결혼』에서 훨씬 더 노골적으로 드러난다. 피가로의 성격에서 또 한 가지 중요한 덕목은 낙관주의적인 면모이다. 매사를 웃어넘기는 그의 호방한 삶의 태도는 갖은 모함과 중상에 시달리고, 되풀이 되는 추방과 투옥을 경험하고, 정처 없는 떠돌이 생활을 영위한 삶의 변전에서 체득된 것이다. ("누가 그렇게 너한테 호방한 철학을 가르쳐 주더냐?" "잊을 만하면 어김없이 찾아오는 불행이지요. 눈물로 징징대는 게 싫어서 매사를 서둘러 웃어넘겨 버릇했더니.") 이러한 그의 삶의 신조는 극의 전체적인 분위기를 형성하는 바탕이 된다.

한편, 알마비바 백작은 스페인의 대 귀족으로 사랑에 빠진 남자이다. 한때는 마드리드의 궁정에서 숱한 연애행각을 벌이기도 했던 바람둥이였지만 우연히 거리에서 만난 로진에게 반해 세비야까지 그녀를 찾아온 열정적인 사랑꾼이다. 대 귀족으로서 권위와 횡포를 드러내는 것이 아니라 오로지 진정한 사랑 찾기에 몰두하는 남자, 사랑하는 여인을 이기적인 후견인의 감금으로부터 구해내기 위해서라면 변장이나 연기도 서슴없이 할 수 있는 남자가 바로 그의 역할이다. 따라서 개인의 감정을 희생하면서 신분이나 재산과 같은 사회적 조건에 따라 결혼을 받아들이는 당대의 풍속에 비추어 볼 때, 고아 출신의 여성에게 조건 없는 사랑을 바치는 백작의 낭만성은 당대 여성들의 판타지를 자극하는 데 부족함이 없어 보인다. 더욱이 마지막 장면에서 신분과 정체를 숨기고 로진에게 접근했던 그가 외투를 벗어던지면서 화려한 의상으로 자신의 정체를 드러내는 상징적인 제스처는 백마 탄 왕자님의 출현이라는 동화적 결말을 그대로 보여준다. 피가로가 주인의 사랑의 행로의 전략책이라면, 알마비바는 피가로의 전략의 수완 좋은 실행가이다. 백작은 전적으로 피가로에게 의존하고 피가로의 조언에 기꺼이 복종한다. 실행가로서 알마비바 백작은 작품 속에서 다양한 역할 연기를 감행한다. 가난한 고학생

랭도르에서 술 취한 군인으로 다시 음악선생 알롱조로 변신을 거듭하면서 진정한 사랑 찾기에 몰두한다. 따라서 이 작품에서는 후속작인 『피가로의 결혼』에서 문제시되는 주인 대 하인의 갈등의 도식은 아직 엿보이지 않고, 공모와 신뢰 관계만이 두드러진다.

로진은 귀족가문 출신의 고아로 바르톨로의 후견 아래 외출도 금지당한 채 감금된 생활을 견디며 자신의 불우한 처지를 절감하고 있는 인물이다. 그녀가 신분도 이름도 정확히 모르는 랭도르(알마비바 백작)에게 마음을 주게 된 것은 자신의 처지로부터 탈출하고픈 욕망 때문이기도 하다. 그녀는 매우 총명하고 당차고 순발력도 뛰어난 면모를 보인다. 계속되는 장애물 앞에서 재치와 수완을 발휘하는 데는 피가로 못지않으며, 랭도르와의 사랑에서 주도권을 쥐고 있는 것도 그녀인 듯 보인다. 백작과의 만남을 이어나가기 위해 창문 밖으로 쪽지를 떨어뜨리기도 하고, 쪽지에다가 노골적으로 상대의 이름과 자신에 대한 관심을 담아 노래를 불러달라고 청하는가 하면, 언제 전달할 수 있을지 알 수 없는 상황에서 백작에게 보낼 편지를 미리 써놓았다가 피가로 편에 부탁하기도 하는 등 관계의 시작과 발전이 전적으로 그녀에 의해 진행되는 것처럼 보이기 때문이다. 그런가 하면 그녀는 곤경에 처해서도 상당한 임기응변을 발휘한다. 빛나는 재치로 이리저리 핑계를 만들고 순발력 있게 증거를 바꿔치기 하며 논리적으로 조목조목 따지는 바르톨로의 추궁을 요령껏 피해간다. 그녀는 남성의 감금과 억압(바르톨로)에 굴종하지 않으며, 자유를 찾고 자신의 사랑을 가꾸어 가려는 적극적인 여성상을 보여준다.

바르톨로는 이탈리아 연극 전통에 가장 뿌리를 두고 있는 인물이다. 이탈리아의 전통극인 코메디아 델라르테에서의 의사 역할로 연인들의 사랑에 방해꾼 역할이다. 젊은이들의 사랑에 반대자 항에 존재하는 노인 축에 드는 역할로, 부유하고 구두쇠에 심통 사나운 인물이다. 그는 18세기 계몽주의 시대에 도래한 새로운 사상, 새로운 예술, 신문물 등에 마뜩치 않은 시선을 던지는 보수적인 면을 보인다("이 시대에 칭찬해 줄 만한 게 어디 있어야 말이지? 죄다 한심한 것들뿐이니. 사상의 자유니, 중력이니, 전기, 관용, 접종, 기나피 포도주, 백과전서, 드라마니 뭐니….”(1막 3장)). 코메디아 델라르테의 전통에서 사랑에 빠진 의사가 대체로 아둔하고 어리석은 성격으로 조롱과 놀림의 대상이 되는 인물이라면, 보마르셰의 바르톨로는 이러한 노선에서 살짝 비켜나 있다. 매우 눈치가 빠르고 지력이 왕성하여 로진과 알마비바가 그를 속여 넘기기 위해 갖은 수를 다 짜내고 때로는 무리수를 두어야 할 정도로 로진의 눈속임을 속속들이 간파하는 영민함을 갖추고 있기 때문이다. 로진에게 폭군으로 불리는 그는 자신이 후견하는 로진에 대해서 독점력을 불태우며 외간 남성들의 시선을 차단하기 위해 외출도 금지하고, 창문도 막아버릴 태세로 강제와 금계를 행사한다. 그는 여성에 대해 매우 고루하고 가부장적인 편견에 사로잡혀("대체 어느 누가 여자들의 요상스런 태도를 이해할 수 있단 말이요?"(2막 4장)), 로진의 생각을 허무맹랑한 것으로 치부해버린다. 바르톨로의 횡포는 로진에게만 해당된 것이 아니다. 그는 사회적 약자들에 대해서도 억압과 횡포를 일삼는다. 하인들의 불쌍한 처지에 아랑곳하지 않고, 억지 논리로 으름장을 놓으며 자신의 주장을 관철시키며 해고 위협도 서슴지 않는다. 바르톨로의 최종적인 실패는 그의 인색함과 타인들과의 불화에서 비롯된 것이다. 로진과의 불화는 말할 것도 없고, 자신의 조력자인 바질에게조차 제대로 된 대가도 지불하지 않은 채, 자신을 돕는 일을 강행하게 한다("하지만 선생께서 비용에 인색하시지 않았습니까. 통상, 한쪽이 기우는 결혼이라든가, 불공정한 판결이라든가, 특별 대우라든가, 뭐 이런 것들은 언제나 두둑한 금전상의 보상이 있어야 순조롭게 준비되고 진행되는 겁니다."(2막 8장)). 그에게 가장 중요한 가치는 무엇보다 금전적 이득이다. 마지막에 그가 로진의 결혼을 받아들이는 것도 로진의 재산 관리의 실책을 추궁 받지 않고 그 일부를 착복할 수 있다는 데, 다시 말해 금전적 이득만은 지킬 수 있다는 사실 때문이다.

피가로가 알마비바 백작의 사랑의 완성에 조력자라면, 바질은 바르톨로의 결혼 프로젝트의 조력자이다. 피가로가 백작에게 이런저런 변장 연기를 조언하고, 바르톨로의 방해공작에 맞설 수 있는 아이디어를 제공함으로써 백작의 전략 수행에 지대한 역할을 한다면, 바질도 바르톨로에게 연적에 대한 정보를 제공하고, 또 연적을 무력화시킬 수 있는 '중상모략' 전술을 제안하며 조력자로서의 소임을 다한다. 그러나 피가로의 제안을 기꺼이 수락한 백작과 달리 바르톨로가 그의 제안을 제대로 이해하지 못하고 단칼에 거절함으로써, 바질의 조력자로서의 임무는 실패하고, 바르톨로와 바질의 관계도 신뢰에 금이 가게 된다.

조력자로서 그들은 상당한 공통점을 지니고 있다. 음악에 대한 관심도 그렇거니와 금전적 이익에 대한 관심도 그러하다. 다른 점이 있다면, 피가로가 알마비바 백작만을 섬긴다면, 바질은 나중에 바르톨로를 배신하고 알마비바 백작의 편으로 돌아선다는 점이다. 따라서 바르톨로의 결혼 프로젝트의 실패의 가장 큰 원인은 바질의 배신에 있다고도 볼 수 있다.

당대 사회에 대한 조롱과 비판

보마르셰는 프랑스 혁명을 예고하는 극작가로 평가받는

다. 그 이유는 그의 작품들이 시대를 정확히 짚어내고 그에 대한 비판의 촉수를 예리하게 보여주기 때문이다. 후속작 『피가로의 결혼』에 비해서는 당대 사회에 대한 비판의 강도가 다소 약하기는 하나 『세비야의 이발사』에서도 사회 곳곳의 잘못된 관행과 불의에 대한 지적은 주목할 만하다. 제일 먼저 공격의 대상이 되는 것은 귀족계급의 횡포이다. 보마르셰는 피가로를 통해 귀족들이 누리는 터무니없는 권리와 부당한 처사에 대해 언급한다. 피가로는 약제사로 복무하다 장관에 의해 쫓겨났다는 것을 알마비바 백작에게 설명하면서 그간의 원한을 토로하고, 귀족들에게는 억울하고 안타까운 일이 있어도 그것에 대해 따지거나 항의해서 고초를 치르기보다는 차라리 잠자코 있는 것이 더 이롭다는 의미에서 다음과 같이 말한다.

피가로 거기서 잊히는 게 차라리 다행이겠다 싶더라고요. 지체 높으신 양반께서 우리를 해코지하지 않는 것만으로도 선처해주시는 거라 생각하면서요. (1막 2장)

이어 백작이 장관의 해고 사유가 단순히 그의 횡포에 의한 것이라기보다는 피가로의 평소의 행실 때문일 거라며 피가로의 하인으로서의 자질에 대해 의문을 제기하자, 피가로는 하인에게 귀족 같은 자질을 요구하는 것은 귀족에게 하인한테 필요한 자질을 요구하는 것과 마찬가지라며 백작의 주장을 당차게 되받아친다. 이와 같은 피가로의 저돌적인 말대꾸에 의아하게도 백작은 별다른 꾸짖음이나 분노의 감정은 내보이지 않는다. 하인계급의 도발적인 맞대응은 이미 엄격한 신분질서에 어느 정도 균열의 조짐이 보이고 있음을 증명하는 것이라 볼 수 있다.

보마르셰는 문학계 혹은 예술계의 일반 관행을 비판한다. 피가로는 알마비바 백작과 만나기 직전, 오페라 작품을 창작하는 모습을 보여주는데, 작가는 피가로의 입을 빌어 문단과 공연계의 현실과 폐단을 언급한다.

> **피가로** (…) 마드리드의 문인들은 늑대나 다름없었지요. 서로를 물어뜯고, 깔보고, 한심스러운 경쟁에 죽자 사자 덤벼들고, 온갖 종류의 버러지, 모기, 날파리 같은 인간들하며, 비평가, 버러지, 시샘꾼, 기자, 출판업자, 검열관 할 것 없이 모두가 일제히 불쌍한 글쟁이들한테 들러붙어서는 깎아 내리고, 글쟁이들한테 남아 있는 몇 푼마저 꿀꺽하려 들고요. (1막2장)

마드리드의 문단이라고 했지만, 이는 다름 아닌 프랑스

의 문단의 현실이다. 과도한 경쟁과 질투, 시샘으로 타인의 작품을 무턱대고 헐뜯고 비방하는 작가들, 건전한 비판과 평가가 아닌, 비판을 위한 비판에 함몰되어 있는 평단의 현실 그리고 그러한 기류에 편승해서 어떻게든 작가에게서 돈을 갈취해내려는 기자와 출판업자들에 대한 적의를 고스란히 드러낸다. 오랫동안 평단에서 적의와 홀대를 받아온 극작가의 처지가 피가로 속에 투영된 듯 보인다.

내처 작가는 오페라 제작 관행도 꼬집는다. 피가로는 오페라 제작자들이 언어의 미학적 가치나 문학성을 문제 삼는 것이 아니라, 여흥을 돋우고 감성을 자극하는 선율에만 관심을 쏟고 있음을 피력한다. 다시 말해 작품성이나 예술성보다는 돈벌이가 되는 흥행성에 초점을 두고 대중적 취향과 기호에 부합하는 작품을 제작해줄 것을 요구한다는 것이다.

의학계의 현실 또한 보마르셰의 조롱의 대상이 된다. 백작은 기마 관리 장교로 변장하고 바르톨로 집에 들어가 자신의 신분을 증명하기 위해 <포도주 만세>라는 노래를 부른다(2막 13장). 백작은 바르톨로의 직업인 의술에 대해서 노골적인 조롱과 경멸을 서슴지 않는다. 당대의 의술이 히포크라테스의 시대보다 나아졌다고 주장할 수 없다면서 의학 발전의 답보상태, 의학의 초보적 수준을 일갈하고, '의술이 병을 몰아낼 줄은 몰라도 환자를 몰아낼 줄은 알게 됐다'고

조롱하며 무능한 의사들의 보수적 권위의식에 대한 비아냥거림을 거침없이 쏟아낸다. 당대 일반인들의 의술에 대한 그리고 의사들에 대한 불신과 불만을 그대로 드러내는 대목이다.[37]

보마르셰는 주인과 하인과의 관계와 더불어 노동현실도 짚어낸다. 집안의 하인들을 착취하고 무시하기를 일삼는 바르톨로의 모습을 통해 작가는 당시 하인들의 열악한 노동조건과 부당한 처우를 여실히 폭로한다.

바르톨로 정의라고! 네 놈들 같이 미천한 인간들한테야 정의라는 게 중요하겠지! 난 너희들 주인이야. 그러니 언제나 내 말이 진리다.

라죄네스 (재채기를 하면서) 그렇다 해도, 어떤 일이 사실이라면 당연히….

• •

37_ 사실 의학에 대한 비판과 희화화는 이전 세기 몰리에르가 즐겨 사용하던 테마이다. 『날으는 의사*Le Médecin volant*』, 『억지 의사*Le Médecin forcé*』, 『상상병 환자*Le Malade imaginaire*』와 같은 작품 속에서 몰리에르는 가짜 의사들에 속절없이 속아 넘어가는 사람들의 어리석음과 속물근성을 꼬집거나 새로운 사상과 지식에 귀를 닫은 의학과 의사들의 권위주의와 불통성에 주목한 바 있다. 몰리에르의 희극에 경도되어 있던 보마르셰는 의사 바르톨로를 깎아내리려는 알마비바 백작의 발언과 노래를 통해 의술에 대한 깊은 불신과 회의를 은근히 피력한다.

바르톨로 어떤 일이 사실이라 해도! 그게 사실이기를 원치 않으면, 난 그게 사실이 아니라고 우기면 그만이야. 아랫것들한테 내가 옳다는 걸 인정하게끔 만하면 되니까, 권위가 뭔지 맛 좀 보여줄까.

라죄네스 (재채기를 하면서) 정말이지 해고통지라도 받았음 싶구먼요. 일이 고된 건 둘째 치고, 노상 지옥행 기차를 탄 것 같아서리.

레베이예 (울먹이면서) 아무리 덕이 있어도 가난하면 미천한 사람 취급을 받는군요.

바르톨로 그럼, 덕성 높은 가난한 양반, 여기서 나가시든가.

(그는 그들을 흉내 낸다.) (2막 7장)

하인 라죄네스는 사회의 정의를 내세워 혹독한 노동 강도를 하소연하며 바르톨로에게 휴가를 요청하지만, 고용주 바르톨로는 주인의 압도적인 권위로 그의 요구를 묵살하고, 그것으로도 모자라 그를 파렴치한 취급을 한다. 심지어 참과 거짓의 진위도 곧 주인의 의지에 달려 있다고 말하며 주인의 무소불위의 힘을 과시한다. 이 에피소드는 귀족 대 서민계급의 갈등 한 켠에, 하인에 대해 주인이 행사하는 전횡과 인격모독의 양상이 자리하고 있음을 보여준다.

〈세비야의 이발사〉와 오페라

『세비야의 이발사』는 두 번에 걸쳐 오페라로 만들어졌다. 1782년 이탈리아의 작곡가 파이지엘로Giovanni Paisiello가 작곡하여 발표하였고, 그로부터 34년 뒤 1816년에 로시니Gioacchino Rossini가 선배의 발자취에 다시 도전장을 내밀었다. 오늘날에는 파이지엘로의 작품보다는 로시니의 작품이 공연되는 것이 일반적이다. 13일 만에 완성된 것으로 알려진 이 작품은 로시니 오페라들 가운데 최고봉으로 꼽히며, 오페라 작곡가로서의 로시니의 역량이 가장 집약된 작품으로 평가받는다. 로시니는 애초에 파이지엘로와의 경쟁을 피하기 위해 제목을 <알마비바 또는 부질없는 경계>로 발표했으나 로마 초연 실패 후, 작품의 원래 제목을 복원하였고, 시간이 흐르면서 그의 작품은 열렬한 호응을 얻게 된다. 로시니는 이 작품의 눈부신 성공을 계기로 프랑스로 주거를 옮기고 새로운 음악 여정을 시작하였는데, 프랑스의 왕 샤를르 10세에 의해 왕실 작곡가로 임명되어 왕실음악을 담당하고, 이탈리아 극장의 극장장을 맡기기도 했다.

말 중심의 연극에서 노래 중심의 오페라로 전치되는 과정에서 구조와 내용상의 수정은 불가피하다고 할 수 있다. 가장 두드러진 것은 희곡의 4막 구조가 2막 구조로 바뀌었다는 점이다. 보마르셰의 1막과 2막을 합쳐 로시니는 1막으로 구성하고, 3막과 4막을 합쳐 2막으로 구성하였다. 그런데 아이러니컬하게도 1819년 이 작품의 파리 초연에서는 다시 4막 구조로 손질되었는데, 프랑스인들의 감수성과 극적 전통에 따른 것이었다. 또한 등장인물의 구성과 성격에 있어서도 변화가 엿보이는데, 로시니는 바르톨로의 횡포와 억압을 부각시키는 역할을 하는 남자 하인들인 레베이예와 라죄네스의 역할을 없애고, 여성 목소리와 남성 목소리의 균형을 맞추기 위해 베르타라는 늙은 하녀를 등장시킨다.

인물의 성격의 차원에서 볼 때 가장 큰 변화는 피가로와 로지나(보마르셰의 로진)에게서 두드러진다. 보마르셰의 피가로가 삶의 두께를 지닌 인물이었다면, 로시니의 피가로는 표피적이면서 훨씬 더 경쾌하고 가벼운 인물로 그려진다. 다시 말해 원작의 피가로가 가지고 있는 두꺼운 역사성이 제거된 것이다. 보마르셰의 피가로가 갖가지 직업을 전전하며 숱한 고난과 역경을 거쳐 나온 인물이라면, 로시니의 피가로는 이발사를 주된 직업으로 하면서, 마을 구석구석을 돌아다니며 사건과 사고를 신속히 해결하는 해결사이자, 마을의 처녀 총각들을 맺어주는 중매쟁이의 역할을 하는 인물이다. 그는 스스로를 만능 일꾼으로 치켜세우며 의사, 이발사, 미용사, 가정 관리사, 소송대리인으로, 자신이 없으면 세비야의 어떤 누구도 결혼할 수 없다고 큰소리친다. 한마디로 사랑의 거간꾼이다. 따라서 알마비바 백작과 로지나의 사랑을 맺어주는 피가로의 역할은 평소의 임무를 수행한 것일 뿐이지 옛 주인에 대한 충성심에서 비롯된 것이 아니다. 또한 피가로의 낙천적이고 호방한 성격은, 보마르셰의 작품에서는 하는 일마다 실패하고 갖가지 직업을 전전하며 삶의 질곡들을 겪으면서 터득하게 된 삶의 철학이라면, 로시니의 작품에서는 풍요롭고 여유로운 삶으로 인해 자연스럽게 갖게 된 자질이다. 따라서 오페라 속에서의 피가로는 다소간 내면성이나 심리적 깊이가 제거된 단순한 성격의 소유자라 할 수 있다.

폭풍우 장면(알렉상드르 프라고나르, 1830).

한편, 로시니의 로지나는 보마르셰의 로진보다 훨씬 더 적극적이고 독립적인 모습으로 등장한다. 본인이 직접 린도르(보마르셰의 랭도르)는 자기 것이 될 것이며, 자기가 그를 맹세코 차지하고 말 거라고 장담한다. 자신은 온순하며 행실이 바르고 순종적인 사람이며 친절하고 사랑스러운 인물이지만 누군가 약점을 건드릴 땐, 수백 개의 속임수를 고안해내며, 독종으로 변할 거라 말하며 자신이 간단치 않은 인물임을 피력한다. 18세기의 귀족가문의 여인에게서는 흔치 않은 직설적이고 저돌적인 성격, 사랑에 대한 맹렬한 욕구, 그리고 자신의 지략을 통해 사랑을 쟁취하고자 하는 주체성은 보마르셰의 로진보다 훨씬 더 진취적인 페미니스트의 면모를 보여준다. 그리하여 로지나는 주인공 역할임에도 연약하고 청순한 소프라노가 아닌 개성 넘치고 패기 있는 메조소프라노가 맡는다.

그런가 하면, 플롯 구성에 있어서도 약간의 차이가 엿보이는데, 로시니의 대본가 스테르비니는 보마르셰의 플롯에 에피소드를 첨가하여 줄거리의 전개에 보다 설득력을 보강하기도 한다. 로시니는 린도르의 술주정꾼 연기가 들통 나는 계기를 연대의 등장으로 설정한다. 이 대목은 보마르셰의 희곡에는 존재하지 않는 부분인데, 군인들의 무리인 연대의 등장으로 숙박허가증 아이디어가 거짓임이 들통 날 위기에 몰리게 되고 백작과 피가로의 공모가 좌초되는 계기를 마련한다. 나아가 연대의 등장은 모든 인물들의 혼란과 충격을 강조하기 위해 전체적인 합창의 기회를 제공하면서 1막의 종결부분을 웅장하게 마감 짓도록 한다.

마지막 결말 부분에서도 차이가 엿보인다. 보마르셰의 결말이 신붓감을 빼앗긴 바르톨로에게 보복의 여지를 남겨둠으로써 후속극인 『피가로의 결혼』에서 바르톨로가 마르슬린의 피가로와의 결혼 계획에 가담하는 것에 정당성을 부여해주고 있다면, 로시니의 작품은 모든 등장인물들이 두루 만족하는 전통적인 희극적 결말을 보여주며 하나의 독립된 완결성을 지닌 것으로 마무리된다.

로시니 오페라의 강점은 보마르셰의 희곡에 내재되어 있는 희극성을 더욱 극대화했다는 점이다. 희극적 효과를 강화하기 위해 로시니는 몇 가지 전략을 구사한다. 첫 번째는 인물의 성격 구축이다. 로시니는 조연급 인물들의 비중을 높이면서 그들에게 웃음 포인트를 장전한다. 바르톨로와 바질리오(보마르셰의 바질)가 대표적인 예인데, 이들에게 모두 베이스의 성부를 부여하고는 테너인 알마비바 백작과 바리톤을 맡고 있는 피가로와 대립각을 세우게 한다. 바르톨로 특유의 괴팍스러움과 바질리오의 돈 앞에서라면 양심도 정의도 내어던지는 뻔뻔스러움은 과장과 희화화로 가일층 유쾌하고

익살스런 상황을 연출한다.

두 번째는 상황의 희극성이다. 가장 유쾌한 장면은 바르톨로와 바질리오의 공모의 장면이다. 음악교사인 바질리오가 바르톨로에게 백작에 대한 중상모략을 제안하면서 상황을 설명하는데, 바르톨로는 바질리오가 구사하는 전문용어가 섞인 설명을 전혀 이해하지 못한다. 바질리오의 현학적인 비유와 바르톨로의 아둔한 어리석음이 대비를 이루며 희극적인 상황이 유발되는데, 여기서 바질리오가 음악용어를 상황과 절묘하게 연결 지어 설명하는 '소문은 미풍처럼'이란 제목의 아리아는 이 오페라 전체에서 가장 희극성이 잘 드러나는 대목이다. 소문이 점점 더 걷잡을 수 없이 번져간다는 가사의 내용을 느린 템포에서 속사포처럼 쏟아내는 폭발적인 속도까지 재현해 내는 바질리오의 가창은 보마르셰의 희곡에 내재되어 있던 바질의 희극성을 더욱 강화하여 극적 강렬함으로 관객의 재미를 배가한다. 오페라 가수의 상당한 기교와 호흡을 요구하는 이 아리아의 완창은 반복과 가속적인 리듬 전개로 관객들로부터 가장 열띤 박수를 받아내는 대목이기도 하다.

세 번째, 로시니는 오중창 앙상블을 통해 웃음을 겨냥한다. 그가 구사하는 앙상블은 보통 오페라에서 즐겨 사용되는 이중창, 삼중창을 넘어서 오중창까지 확대된다. 그의 오중창 앙상블은 단순히 인물들 간의 의사소통이나 줄거리 진행의 기능을 가진 것이 아니라, 다섯 명의 인물들이 번갈아가며 자신의 속내를 드러내면서 이해관계가 극명하게 갈리는 지점을 보여주거나, 등장인물들 간의 연대를 시사한다. 로시니는 이 작품 속에서 오중창을 각 막별로 한 번씩 삽입하는데, 첫 번째는 1막에서 연대가 등장하는 장면에서 사용되고, 두 번째는 2막에서 병석에 있다던 바질리오가 바르톨로를 방문하는 장면에서 사용된다. 이 두 장면 모두, 백작의 신분이 노출될 위험에 처하게 되는 장면인데, 술 취한 장교로 변장한 모습과 바질리오의 제자 알론조로 변장한 모습이 탄로 날 위기의 장면이다. 이처럼 최고의 위기의 장면에서 로시니는 관련 인물들의 오중창을 삽입시켜 교묘히 위기를 모면하는 상황을 해학적으로 그려낸다.

네 번째는 삽입 구조이다. 18세기 연극 속에서 빈번하게 사용되는 극중극 기법의 오페라식 전치라고 볼 수 있다. 극중극이 연극 속의 또 한 편의 연극이라면, 이 기법은 오페라 속의 또 하나의 오페라라고 볼 수 있다. 다시 말해 『세비아의 이발사』라는 작품 속에 「부질없는 경계」라는 또 다른 희가극이 삽입되어 있다는 것이다. 그런데 이 삽입된 희가극 「부질없는 경계」의 가사들은 다름 아닌 바로 바르톨로와 로지나의 상황을 압축하고 있다는 점에서 원래의 오페라와 내용상 연관성을 지닌다. 보마르셰의 희극에도 노래가 삽입되어 있기는 하나, 노래의 가사가 극의 내용과 직접적인 연관성을 보이지 않는 반면 로시니는 보다 직접적인 연관성을 부과하면서, 작품의 구조를 훨씬 더 긴밀하게 구축하고 뫼비우스 띠와 같은 안과 밖의 상황의 절묘한 일치를 통해 관객들의 웃음을 불러일으키는 효과를 거둔다.

이처럼 로시니의 오페라에는 관객의 웃음을 노리는 희극성의 장치들이 다양하게 마련되어 있다. 『세비야의 이발사』가 오페라 부파 장르의 최고봉으로 꼽히는 이유도 바로 이렇게 세밀하게 구축된 전략에 있는 것이다.

희곡 『세비야의 이발사』라는 작품의 대중적인 인지도는 상당 부분 로시니의 오페라에 빚을 지고 있는 것이 사실이다. 이번 번역본의 출간을 계기로 원작이 품고 있는 보다 넓고 깊은 스펙트럼을 독자들이 확인했으면 하는 바람을 가져본다.

보마르셰

Pierre-Augustin Caron de Beaumarchais

1732년(출생) 1월 24일, 마리-루이즈 피숑과 앙드레-샤를르 카롱의 아들 피에르-오귀스탱 카롱이 파리에서 출생. 시계 장인인 앙드레 샤를르 카롱은 생-드니 가에서 시계점을 운영. 피에르의 출생에 앞서 두 명의 누이 마리-조세프와 마리-루이가 태어났고, 피에르의 출생 후 세 명의 누이들(마리-프랑스와즈, 마리-줄리, 잔-마르그리트)이 태어남. 카롱 집안은 문학에 조예가 깊고, 음악을 사랑하며 악기 연주를 즐겨함. 피에르-오귀스탱의 유년시절은 감상적인 분위기에 감싸여 있었으며, 이는 차후 그의 작품에서 드러남.

1742-1745년(10-13세) 달포르 학교에서 짧게 수학한 후 아버지의 작업장에 견습공으로 들어감.

1753년(21세) 새로운 시계 장치를 발명하여 왕실 시계 제조업자인 르포트에게 보여줌. 르포트는 이 발명 장치를 자신의 것으로 가로챔.

1754년(22세) 단순히 항의하는 것으로 그치지 않고 설득력 있는 진정서를 제출하여 과학아카데미가 결국에는 피에르-오귀스탱의 발명 장치로 인정. 왕과 왕비에게 소개되어 왕실의 주문을 받게 됨. 시계 장인으로서의 장래도 매우 전도유망하였으나 왕실을 자주 출입하면서 새로운 지평이 열림.

1755년(23세) 프랑케 집안과 교제. 그 남편이 병에 걸리자 피에르는 그로부터 왕실 사무국의 서기-감찰관 직을 매수하여 왕실 관리직을 맡게 됨.

1756년(24세) 1월 프랑케의 사망. 피에르-오귀스탱은 그의 미망인 마리-크리스틴 오베르탱과 결혼. 그는 자신의 이름을 부인의 영지의 이름을 따서 카롱 드 보마르셰로 바꿈.

1757년(25세) 열병(폐결핵 혹은 장티푸스)으로 인해 부인 사망. 부인 사후 자신보다 나이 많은 부인을 살해했다는 혐의로 고발당해 1760년까지 시달림을 당함.

1758년(26세) 어머니 사망.

1759년(27세) 보마르셰는 왕실의 공주들에게 소개되어 막역한 사이가 됨. 그는 자신이 개발한 하프의 페달 기법을 활용한 하프의 연주법을 가르쳐 줌. 그해 혹은 그 이듬해 프랑스 재계를 장악하고 있는 자산가인 파리-뒤베르네와 교분을 나누게 됨. 파리-뒤베르네는 왕의 군대에 장비를 납품하면서 막대한 부를 축적하고, 이윤의 일부를 군사학교 건축에 투자함. 1760년까지만 해도 이 학교는 미인가 상태였으나 보마르셰가 공주들이 관심을 갖도록 유도하여 왕이 8월 18일 이곳을 방문하게 되면서 마침내 군사학교로 공식 인정을 받게 됨. 뒤베르네는 보마르셰에게 사례금을 지급하고 자신의 사업에 참여토록 함. 덕분에 상당한 재산을 축적하게 됨.

1761년(29세) 파리-뒤베르네의 재정적 도움으로 왕실의 감찰 비서관

직을 사들이면서, 이때부터 보마르셰라는 이름을 합법적으로 가질 권리와 귀족 지위를 획득.

1762년(30세) 물과 숲 장관직을 사들이려고 했으나 그의 평민 출신을 문제 삼아 그에게 적대적인 다른 장관들의 반대로 실패. 그 이듬해 수렵 보좌관직을 사들이고 국왕 전용 사냥터에서의 위법행위에 대한 재판을 주재함.

1763년(31세) 1월 콩데 가 26번지의 저택을 구입하여 아버지와 두 여동생과 함께 거주. 8월에는 수렵 보좌관직을 사들임. 집안의 지인인 식민지 태생의 젊은 여인 폴린 드 브르통과의 결혼을 계획함. 서로 사랑하기는 하지만 보마르셰가 이 결혼을 통해 이득을 취하려는 바람에 결국에 결혼은 좌절됨(약혼은 1766년에 깨짐). 1760년대 초반 보마르셰는 『퍼레이드』를 집필하고, 파리스-뒤베르네의 조카이자 퐁파두르 부인의 남편인 샤를르 르 노르망의 성채인 에티올에서 공연. 소박하지만 결정적인 문학계의 입문을 통해 보마르셰는 명망가들, 부자들이나 모사꾼들보다 우위를 점할 수 있는 입지를 얻게 됨.

1764-65년(32-33세) 1764년 3월에서 1765년 5월까지 스페인에서 뒤베르네가 주도한 컨소시엄의 특사로 체류하며 스페인 식민지 개발을 추진함. 보마르셰는 마드리드 정부로부터 소위 신세계로 일컬어지는 곳의 노예 사업권, 군대의 물자 보급권, 루이지애나와 시에라 모레나 식민화 권리를 획득할 임무를 맡았으나 이렇다 할 결실을 거두지는 못함. 또한 누이 마리-루이즈와 약혼자인 왕실 기록문서 담당자이자 문학과 철학잡지 〈팡사도르〉의 발행인 클라비조와의 결혼이 불발됨. 이 에피소드는 『괴즈망에 대한 진정서』 제4권에서 연극적 형태로 발표됨.

1766년(34세) 폴린 르 브르통과 파혼. 파리스–뒤베르네와 함께 쉬농 숲의 2,000아르팡(1아르팡은 3,000에서 5,000평방미터 정도 됨) 면적의 개발에 착수.

1767년(35세) 1월 29일 진지한 극 장르에 속하는 『외제니*Eugénie*』 초연. 유혹 당했다가 버림받고 결국에는 결혼하는 여자라는 테마가 일련의 혼란스런 급변들로 펼쳐지는 작품. 초연 당시에는 야유를 받았으나, 2회차 공연 직전에 급히 4막과 5막을 수정하면서 공연을 이어나감.

1768년(36세) 4월 11일 왕의 여흥 담당 근위대인 르베크의 미망인 쥬느비에브 마들렌느 와트블레와 결혼. 12월 14일 아들 오귀스탱의 출생.

1770년(38세) 1월 13일 그의 두 번째 드라마, 파산에 직면한 상인과 비밀스런 부자 관계를 주제로 하는 작품인 『두 친구*Les Deux Amis*』를 무대 올렸으나 10회 공연을 마지막으로 실패로 끝남. 7월에 파리스–뒤베르네가 조카 라 블라슈 백작에게 재산을 물려주고 마흔여섯 살의 나이로 사망. 11월, 두 번째 부인이 서른아홉 살의 나이로 사망. 3월에 태어난 어린 딸이 태어난 지 며칠 만에 사망.

1772년(40세) 보마르셰는 뒤베르네가 자신에게 빚 15,000리브르를 졌으며, 8년 동안 무이자로 자신에게 75,000리브르를 빌려주기로 약속했었다는 사실이 명시된 문서를 가지고 뒤베르네와의 채무관계를 서둘러 종료시키고자 했음. 그러나 뒤베르네의 죽음으로 이 조항의 실행이 좌초되고, 보마르셰를 싫어한 라 블라슈는 어떻게 해서든 보마르셰가 사기꾼임을 밝히고자 함. 법정이 보마르셰에게 유리한 판결을 내리자 라 블라슈는 즉시 파리 고등법원에 항소를 함. 지난한 법정 투쟁이 계속됨. 같은 해 10월 어린 아들 오귀스탱이 죽고, 12월에는 그가 가장 사랑하는 누이 중 한 명이 사망.

1773년(41세) 중요한 해. 1월 3일 『세비야의 이발사』가 코메디-프랑세즈 극장에서 받아들여짐. 프랑스 대귀족인 성격이 격하고 사나운 드숀느 공작과의 다툼. 그는 보마르셰가 자신의 정부이자 배우인 마드모아젤 메나르를 빼앗아갔다고 고발. 왕의 명령에 따라 공작은 뱅센느성에 수감되고, 보마르셰는 2월 26일부터 5월 8일까지 포르-레베크에 투옥됨.

4월 1일, 고문관 괴즈망이 라 블라슈 소송의 조사관으로 임명됨. 그의 불리한 보고로 인해 보마르셰는 4월 6일 패소. 이로 인해 그의 인생의 중요한 두 가지 요소인 명성과 재산을 잃게 됨. 고문관 괴즈망을 부패 혐의로 고발하고 괴즈망은 사형 다음의 중형을 언도 받음. 소송의 판결은 비공개로 이루어지고, 판사들은 자신들의 판결의 정당성을 주장하고자 함. 괴즈망은 고등법원의 동료들에 의지했다면, 보마르셰는 여론을 버팀목으로 삼음. 여론몰이를 위해 팸플릿을 이용하는 것에 대해 볼테르의 열렬한 지지를 받음. 볼테르는 종교적 불관용을 규탄하는 것으로 그치지 않고 사법제도의 잘못된 기능에 대해 성토함. 1771년 1월 에귀용 공작과 모포 대법관의 선동으로 루이 15세는 무능한 사법관들로 구성된 옛 고등법원을 해체하고 공공법관들의 자문회의를 창설. 이러한 조처로 인해 자신들의 특권이 훼손되었다고 생각한 사람들이 반기를 들고 일어나 마치 시민권이 훼손된 것처럼 규탄을 쏟아냄. 볼테르는 모포를 지지하였으나, 여론을 형성하는 대다수 사람들은 이에 반대하는 입장을 보임. 보마르셰는 이런 대다수의 반대 흐름을 이용하여 진정서 출간을 통해 자기편으로 끌어들임. 1773년 3편의 진정서를 작성.

1774년(42세) 네 번째 진정서를 2월에 발간. 2월 26일 보마르셰는 징계를 받고 시민권을 박탈당함. 3월에 그의 네 편의 진정서는 법원 계단에서 소각. 그러나 같은 해 비밀요원으로 발탁됨. 3월부터 5월 초순까지 플랑드르와 런던에 체류. 보마르셰는 뒤 바리 부인에 적대적인 비방문을 철거하는 임무를 수행. 6월에는 루이 16세(루이 15세는 5월 10일에 서거한다)의 수태 능력을 의심하는 비방문을 철거하는 임무를 수행. 비방문을 작성한 장본인인 안젤루치가 비방문을 폐기하기로 한 약속을 지키지 않자 보마르셰는 홀로 네덜란드에 유포되어 있는 비방문들을 제거하기 위해 네덜란드로 출발. 8월 20일에 도착한 비엔나에서 강도의 습격을 받음. 그 다음날 마리-테레즈 황후(마리 앙투아네트의 어머니)를 접견한 보마르셰는 수상쩍은 인물로 간주되어 9월 28일까지 가택연금을 당함. 프랑스 정부의 요청으로 가택연금이 해제됨. 9월 6일 판결 선고의 취소로 라 블라슈에 대해 다시 소송을 재기할 수 있는 가능성이 열림.

1775년(43세) 1773년 4월 6일의 판결이 1월 28일에 취소됨. 라 블라슈 사건은 엑상 프로방스 법원으로 송치. 2월 24일, 코메디-프랑세즈 극장에서 마침내 『세비야의 이발사』가 공연됨. 그 해에 비밀요원의 자격으로 영국과 플랑드르 지역을 여행. 프랑스 군대의 영국 상륙 계획과 관련한 문서를 가지고 에옹 기사와 뒷거래. 11월 4일 에옹이 마침내 이 문서를 넘겨줌.

1776년(44세) 런던 체류 중 미국 식민지군의 특사들과 접촉. 프랑스인 어느 누구보다 더 열의를 갖고 미국 식민지군을 위해 애씀. 그의 식민지군에 대한 지원은 완전히 복권되기를 바라는 염원과 상업적 재정적 이득, 정치적 자유와 민중들의 독립에 대한 관심에서 비롯된 것임. 그는 혜안을 가지고 국제정치의 차원에서 안목을 키움. 영국과 식민지인들 사이의 갈등은 이미 10여 년 전부터 고조됨. 식민지 국가는 정치적으로 미성숙하고 재정적으로는 예속상태로 지속되고 있었음. 1776년 7월 4일 필라델피아 의회가 영국으로부터의 독립을 선포하면서 미합중국이 탄생. 보마르셰는 루이 16세에게 3편의 진정서를 보내 식민지군 편에 가담할 것을 촉구함. 국왕과 외무부장관은 미국에 대한 비밀 지원 원칙을 수락하고 보마르셰에게 그 임무를 맡김. 원조는 보마르셰 개인 자격으로 이루어졌으며, 미국인들은 식민지 생산 제품으로 갚음. 지원 절차를 실행하기 위해 외무부장관이 보마르셰에게 백만 리브르를 건네고, 스페인 정부가 여기에 백만 리브르를 보탬. 8월에 보마르셰는 자신의 활동을 숨기기 위해 가공의 프랑스-스페인 합작 무역회사(로드리그-오르탈레즈와 컴퍼니Roderigue Hotalez et cie)를 네덜란드의 대사관저에 설립. 1777년 초 보마르셰는 함대를 임차하여 오백만 리브르 상당의 물건과 무기들을 보냄. 미국인들은 보마르셰의 사업적인 개입을 존중하고, 외무부장관은 보마르셰에게 세 번째로 백만 리브르를 제공. 점점 더 프랑스 정부가 비공개적으로 지원하기가 어려워짐. 전쟁으로 인해 프랑스 여론에 잠재적인 영국 공포증이 몰려오고, 미국 식민지군은 점차 인기를 끌게 됨. 1776년 9월 벤자민 프랭클린이 파리에서 열렬한 환호를 받음. 1777년 10월 17일 사라고토에서 식민지군이 승리를 거둔 후, 루이 16세가 미국과 무역 협정과 우호 조약을 맺음. 1779년 4월 프랑스는 스페인을 갈등에 끌어들임. 전쟁이 공식화되면서 보마르셰는 개인적 이익을 위해 일할 수 있게 됨. 마침내 전쟁이 끝나자 그는 이 거래를 이용하여 미국과 크게 이윤이 남는 사업을 지속함. 거래상에서는 실패를 보았지만 정치적인 이상이라는 이름으로 거래를 지속함. 이 당시에는 이상과 이윤추구가 뒤섞여 있는 것이 모순적인 것으로 인식되지 않음.

1777년(45세) 보마르셰와 그의 정부인 마리-테레즈 드 빌레르말라스 사이에 딸 외제니의 출생. 7월 3일, 보마르셰의 집에서 권익 옹호를 위한 극작가들의 회합. 극작가 협회 창설. 그러나 생존 극작가의 작품이 공연될 시 반드시 극작가의 승인 요구가 실행되기까지는 1797년 1월 13일 제헌의회 법령 제정 이후에야 비로소 가능해짐.

1778년(46세) 7월. 라 블라슈 사건 관련 소송에서 보마르셰가 엑스 법원에서 승소.

1779-80년(47-48세) 보마르셰는 다방면으로 분주함. 식민지군과의 거래, 볼테르 전집 출판의 시작, 저작권과 관련하여 프랑스 배우협회와의 분쟁. 팡쿠크가 포기한 볼테르 전집 출간 계획을 다시 시도하면서 그는 상업적인 이윤과 문학적 열정을 따로 떼어 생각하지 않음. 그는 볼테르에 대해 지대한 존경을 쏟음. 볼테르의 두 적수들인 법원과 성직의 공격에 대비하기 위해 모르파의 보호를 대비책으로 세움. 전집이 외국에서 출판되고, 당국이 프랑스에서는 전집에 대한 소개 정도를 허용하는 것으로 합의. 선주문이 15,000질에 못 미치고 2,000질에 그치면서 오십만 리브르 상당의 손실을 감수.

1781년(49세) 9월 28일, 『피가로의 결혼』이 코메디-프랑세즈 극장에서 만장일치로 받아들여졌으나 왕의 반대에 부딪힘.

1782-1783년(50-51세) 『피가로의 결혼』의 독회를 실시했으나 공연으로까지는 이어지지 못함. 1783년 6월 13일, 파리에 있는 므뉴-플레지르 극장에서 공연이 예정되었으나 마지막 순간에 왕의 명령에 따라 취소됨. 9월 26일, 보드레유 백작의 저택에 있는 젠느빌리에 극장에서 사적으로 공연됨.

1784년(52세) 4월 27일 마침내 코메디-프랑세즈 극장에서 『피가로의 결혼』이 성공리에 초연됨. 그리고 『타라르*Tarare*』의 대본이 왕립 음악 아카데미에서 받아들여짐.

1785년(53세) 작품 공연을 위한 그간의 고군분투에 대해 적은 〈사자와 호랑이〉라는 글이 왕의 노여움을 사면서 체포되어 3월 8일부터 13일까지 생-라자르 감옥에 수감됨. 4월에는 『피가로의 결혼』과 그 서문이 출판. 8월에는 왕궁에서 『세비야의 이발사』가 재공연되고, 마리 앙투아네트가 로진 역을 아르투아 백작이 피가로 역을 맡음. 11월에는 『외제니』가 재공연. 페리에 형제의 수도 회사에 관심이 있던 보마르셰는 라이벌 회사에 투자한 미라보와 논쟁을 벌임

1786년(54세) 3월 마리-테레즈와 결혼. 5월에 모차르트 오페라 『피가로의 결혼』이 비엔나에서 초연됨.

1787년(55세) 코른느만 사건의 시작. 은행가인 코른느만은 상당한 지참금을 가지고 온 열다섯 살 처녀와 결혼하였는데, 스트라스부르의 왕실감독관인 도데 드 조상이 그녀를 유혹. 코른느만은 자신의 부인의 애인이 자신의 사업에 중개인으로 도움을 줌에 따라 이 관계를 부추김. 이 감독관이 직위를 잃게 되면서 쓸모가 사라지자 코른느만은 부인이 임신 중임에도 불구하고 그녀가 지참금을 자신에게 넘기기를 거부했다는 이유로 그녀를 감화원에 감금해버림. 이 같은 사실을 알고 분노한 보마르셰는 코른느만 부인을 조산원으로 옮겨주고 스스로 고문관으로 나섬. 코른느만의 변호사인 베르가스가 그에 대한 첫 번째 진정서를 작성. 6월 8일 오페라 『타라르』의 초연. 같은 달 보마르셰는 바스티유 근처에 토지를 사들이고, 건축가 르므완느에게 부탁해 매우 호화로운 저택을 건축함.

1788년(56세) 베르가스에 의해 새로운 진정서가 발표되자, 보마르셰는 명예훼손으로 고소.

1789년(57세) 4월 2일 코른느만과 베르가스는 중상모략으로 판결 받음. 그러나 여론은 사법적으로는 패소한 그들의 편에 섰고, 오히려 보마르셰에게 적대적 견해를 보임. 보마르셰 주변에는 평판에 유리할 것 없는 지지자들만 남게 됨. 이들은 모두 차후 구체제의 인사들과 연결됨. 그리하여 코른느만 소송이 그의 소송이 되어버리면서 베르가스에 의해 망신스런 체제의 대표자로 낙인찍히게 됨. 보마르셰는 호의적인 여론 형성에 실패. 베르가스의 정치적인 공격은 그의 노력에도 불구하고 말년에까지 그를 무겁게 짓누르게 됨. 그와 혁명과의 관계는 매우 떠들썩한 소란을 불러일으킴. 7월 15일, 보마르셰는 스물네 명의 부하들과 무장한 채 바스티유를 습격하고, 그 다음 달 바스티유의 함락을 감독하는 역할을 맡음. 하지만 8월에 고발을 당하면서 그는 파리의 코뮨 대표 의회에서 배제됨. 자신에게 쏟아진 모든 공격에 맞서면서 9월에는 의회에 재입성함.

1790년(58세) 8월 3일. 결말을 수정하여 『타라르』 재공연. 보마르셰는 이러한 수정을 통해 관객에게 올바른 사회에 대한 교훈을 주기 위해 모든 정치적 입장에서 등을 돌림.

1791년(59세) 2월 『죄지은 어머니』가 코메디-프랑세즈 극장에서 공연되기로 결정. 하지만 12월에 작가는 정세가 자신에게 유리하지 않다고 판단하고는 자신의 작품을 도로 회수함. 봄에 보마르셰 가족은 생-앙트안느 거리에 있는 호화로운 저택으로 이사. 보마르셰는 오를레앙 공작의 주관으로 음악 축제를 개최하여 인기를 끔. 그의 호사스러움은 세간에 회자되면서 여론과의 관계 회복에 불리하게 작용.

1792년(60세) 3월에 벨기에 서적상 들라아에가 프랑스 정부군에 가장 요긴한 6만점의 총기 구입을 제안. 보마르셰는 프랑스 정부가 구입하도록 하기 위해 애씀. 그러나 이 계획은 3월 7월에 관련 부서 장관들이 계약서에 서명하였음에도 실패로 돌아감. 6월 4일, 환속한 수도사인 샤보에 의해 국민의회에 무기 은닉죄로 고발당함. 26일에는 이러한 소란의 와중에 『죄지은 어머니』가 1791년에 개관한 마레 극장에서 초연됨. 8월 보마르셰는 자신의 저택에서 23일 체포당하고 27일 수도원으로 이송되었다가 29일 파리지부 관할 검사인 마뉴엘에 의해 송치됨. 가까스로 9월 학살을 모면. 9월 말에 네덜란드에 있는 총기 반입 임무를 완수하기 위해 시민증과 국가임무명령증을 지참하고 프랑스를 떠남. 런던과 네덜란드에 체류. 11월 28일, 르코엥트르의 고발로 국민의회로부터 고소장을 수령.

1793년(61세) 런던에서 총기 사건에 대한 글을 써서 파리의 〈여섯 세기Six époques〉에 발표. 공안위원회가 고소에 대해 2개월의 집행유예 판결을 내리자, 26일에 보마르셰는 다시 파리로 귀환. 5월에 무죄로 판결받고 다시 공화국위원에 임명됨. 8월. 스위스에서 돌아오는 길에, 영국에서 억류되었다가 네덜란드로 출발.

1794년(62세) 3월 공화국위원임에도 불구하고 보마르셰는 망명자 명부에 이름이 오름. 그리하여 7월에 부인과 딸, 여동생이 투옥되고, 로베스피에르가 실각해야만 구원받을 수 있는 처지에 놓임. 독일에서 비참한 생활을 하게 되고, 대부분의 시기를 함부르크에서 보냄.

1795년(63세) 9월에 『타라르』의 재공연.

1796년(64세) 6월. 보마르셰는 총재정부에 의해 망명자 목록에서 그 이름이 말소됨. 7월 5일 마침내 파리로 귀환. 같은 달 10일에 그의 딸과 앙드레-투생 들라뤼의 결혼식이 거행됨.

1797년(65세) 5월 페이도 거리에 있는 극장에서 코메디엥-프랑세 배우들에 의해 『죄지은 어머니』가 재공연. 박수갈채를 받음.

1799년(67세) 5월 17일에서 18일 사이 밤에 보마르셰는 수면 중 뇌출혈로 사망. 거의 귀가 멀었음에도 불구하고 그는 매우 활동적이었고 악화된 재정 상황을 만회하기 위해 고군분투했으며, 여러 진정서가 증명하듯이 다방면의 주제에 관심을 가진 인물이었음.

1816년 보마르셰 부인의 사망.

1822년 유해가 페르-라쉐즈로 이장됨.